目次

第一章　憎悪

1

悪は、アクと読む。

アクは極めて一般的な言葉で、これの意味を知らない者はまずいない。

悪は、オとも読む。

オとなると、やや面倒だ。同じ悪という字を書いても、アクあるいはオという読み方の違いで意味が一変する。

オと読んだ場合の意味は、憎む、いやがる、そしる、である。したがって、嫌悪の意味は『憎み嫌うこと』となる。

憎悪となると『ひどく憎むこと』、あるいは『激しく憎み嫌うこと』である——。

このように、初歩的心理学入門という本に書いてあった。それを読んで、花房理帆《はなぶさりほ》はエヘッと笑った。『憎悪とは激しく憎み嫌うこと』というところが、花房理帆には気に入ったのだ。

花房理帆にも、憎んでいる人間がいた。阿佐見涼子《あさみりようこ》という女であった。最初は、不快感を覚える程度ですんでいた。それがやがて、ぶん殴ってやりたいような嫌悪感に膨脹した。

嫌悪感が、更にその度を増した。波打つような感情が、次第に防波堤を越える激しさとなった。阿佐見涼子の顔を見ていると、総毛立つような憎しみを感じた。

もはや、嫌悪感という言い方は適さなかった。まさしく、憎悪であった。花房理帆は阿佐見涼子を、『激しく憎み嫌っている』のである。

最近は阿佐見涼子を、この世から抹殺してやりたいと思うようになっている。当の阿佐見涼子は、そうした花房理帆の胸中をまったく察していない。

自分が憎悪の対象とされているとは、夢にも思っていないのだろう。そのように何も感じないでいる阿佐見涼子に、花房理帆はいっそう腹を立てることになる。

阿佐見涼子は現在、四十七歳であった。未亡人で、子どもはいない。銀座と新宿で、二軒の『アサミ画廊』を経営している。画廊の経営者であるとともに、やり手の画商として業界では名を知られている。

この二十六歳も年上の女を、なぜそうまで花房理帆は憎悪するのか。それについては、世間も納得するという具体的な理由はない。その心理的作用は、花房理帆にしかわからないのだ。

もし阿佐見涼子が花房理帆の目の前に二度と現われなければ、それで万事解決ということになるかもしれない。しかし、何も感じていない阿佐見涼子は厚かましくも、ちょいちょい元麻布の花房家へ押しかけてくる。

理帆の養父の花房敦夫《はなぶさあつお》は、絵画の鑑賞を唯一の趣味としている。手ごろの値段で気に入った絵があれば、買うこともあった。当然、絵の話が嫌いではない。

そのうえ、花房敦夫は阿佐見涼子の亡夫と親しかった。大学時代から気が合う友だち同士だったそうで、阿佐見涼子の夫の病死を誰よりも悲しんだのは、花房敦夫だったといわれている。

そうした二重の縁があって、花房敦夫と阿佐見涼子の付き合いはいまでも続いている。それで、阿佐見涼子は、花房家に出入り自由となっているのだ。

何の前触れもなく、不意に現われる。相手の都合など、いっさい考えない。図々しくて、勝手だった。花房敦夫が留守のときは、理帆の養母の比呂子《ひろこ》と話し込む。

お年始。

時候の挨拶。

近くまで来たので。

急にお寄りしたくなった。

お中元。

お歳暮。

お耳に入れたいことがある。

掘出し物があった。

こういったことで、阿佐見涼子は花房家を訪れる。平均して一カ月に二回は、花房家の応接間かリビングに腰を据える。多いときは、十日に一度の訪問となる。

昼間のうちに現われるのであれば、理帆もこの女の顔を見なくてすむ。だが、阿佐見涼子は家族がそろっているときを狙って、押しかけてくるようである。

それで、どうしても夜になる。夜の八時ごろに訪れて、九時半ごろに引き揚げる。五分ぐらいで追い返せと理帆は思うが、花房敦夫の立場になればそんな無茶はできない。

それに花房敦夫のほうも、話によっては楽しんでいるようだった。たとえ、おもしろくない用件を持ち込まれても、花房敦夫は辛抱強く相手になっている。

しかし、花房敦夫は必ずしも阿佐見涼子に対して、好感を抱いているわけではないということを理帆は知った。花房敦夫は内心、死んだ親友の妻を軽蔑《けいべつ》しているようだった。あるいは、嫌っているのかもしれない。

去年の二月――。

養父母がリビングで話し合っていることを、理帆はドアの外で盗み聴きしたのであった。

「阿佐見さんも、困ったもんだ」

「涼子さんのことですか」

「うん」

「何が、困ったんです」

「色の道ですよ」

「えっ……？」

「あの人が、そんなに好色だとは思っていなかった」

「色の道だとか好色だとか、いったい何のことですか」

「つまり、あの人が男狂いをしているってことだ」

「あの涼子さんが、男狂い？」

「そうですよ」

「まさか……」

「そうやって笑うけど、ほんとなんだから仕方がない」

「だって、もう、四十六、七ですよ」

「四十代、五十代の人妻の不倫なんて話も、近ごろ珍しくなくなった。まして阿佐見さんは、独身なんだから……」

「わたくしも四十の半ばをすぎましたけど、男狂いなんてとても考えられませんね。馬鹿馬鹿しくって……」

「五十で未亡人になって、とたんに別人のように派手好みになって、男遊びを始めて、死んだ夫の遺産を残らず貢いでしまった女の人の話を、何日か前に聞かされたばかりですよ」

「それでしょうね。五十のおばさんの相手をする男だったら、お金だけが目当てに決まっていますよ」

「その点は阿佐見さんも、ちゃんと割り切っているらしい。彼氏に月々のお手当てを、支払っているそうだから……」

「お手当てですか」

「一種の契約だろうね」

「お金で、解決するんですね」

「それならそれで、後腐れがなくていいだろう。いまも言ったように、中年からの異性関係も珍しくはない時代になったんだし、独身ということで男遊びも阿佐見さんの自由だ。第三者が余計な世話を、焼くべきことじゃない」

「そりゃあ、まあねえ」

「だけど……」

「まだ、何かあるんですか」

「阿佐見さんの場合は、ちょっと異常なんだな」

「異常？」

「彼女には、男が二人いるんだ」

「男が二人って、よくわかりませんけど……」

「彼氏を二人、抱えているってことですよ。男に二人の愛人がいるって、それと同じです」

「えっ……！」

「ひとりが二十代、もうひとりが三十代。二人には、同じようにお手当てを出している。二人とも身元が確かなサラリーマンで、名のある企業に勤務しているから、強請《ゆすり》とか脅迫とかの心配はない」

「そんなの、嘘でしょう」

「いや、銀座のアサミ画廊の支配人から、相談されたことなんだ。死んだ阿佐見君に忠実だったあのおじいちゃんが、頭を抱えているんだからね。そんな嘘をついたり、話を作ったりするはずはない」

「支配人は、どうして気がついたんでしょう」

「銀座のアサミ画廊ビルの五階に、涼子さんは個人的な私室を持っている。誰も出入りさせない事務所のようなところで、この部屋には簡単な炊事場、トイレとシャワールーム、それに寝室もついている」

「息抜きの場所として、生前の阿佐見社長が使っていらしたお部屋でしょ」

「涼子さんは、出入りも何もそこがいちばん安全だと、思ったんじゃないのか。それで二人の男との密会に、その部屋の寝室を利用しているそうなんだよ」

「まあ、ひどい！　亡くなられたご主人の匂いが、残っているはずの場所なのに……」

「アサミ画廊の支配人は、ビル全体を管理することにもなるからね。涼子さんの秘密に気づいたとしても不思議じゃない」

「いまのところ知っているのは、支配人だけなんでしょ」

「それと、わたしだ」

「わたくしも、いま知ってしまいましたけど……」

「だけど、いつ噂になるか、ひょんなことから誰に気づかれるか、わかったものじゃないだろう」

「そうなったときに、相手が二人ってことが問題になりますね」

「そう。アサミ画廊の女社長に若い愛人がいたっていうだけでは、何のニュース性もないしスキャンダル扱いだってできない。しかし、相手が二人いたとなると、話は別だろう。好色な女社長の男遊びと、目を見はらせる愛欲物語になる」

「週刊誌に、載るでしょう」

「まあね。涼子さんは自業自得だからやむを得ないとしても、わたしはアサミ画廊のイメージダウンが何よりも心配だ」

「亡くなった阿佐見社長が、お気の毒ですね」

「だからといって問題が男女関係ときているから、わたしも面と向かって涼子さんに忠告したり、そういう行動を非難したりはできないんだ」

「忠告するほうが、真っ赤になるでしょうね」

「このまま、静観するほかはないか」

「赤の他人に向かって、異性との関係をやめなさいとは言えないわ」

「セックスを禁止する権利は、ないってことになる」

「でも、困りましたね」

「ほかにこれといって欠点のない涼子さんなんだが、そういう淫乱《いんらん》な一面があったとは……」

「品性に、かかわることだわ」

「とても、尊敬できないね」

「軽蔑します」

「だけど、涼子さんの前で今後、軽蔑の色を顔に表わさないようにすることだ。礼儀として……」

「努力します」

突っ立っていることに疲れて、理帆はリビングのドアの前を離れた。隙間《すきま》のあったドアが、カチンと音を立てて完全にしまった。理帆は、走り出した。

比呂子がドアをあけて、廊下を覗《のぞ》くような気がしたのだ。カーブを描く階段を三階まで、理帆は一気に駆け上がった。廊下も階段も絨毯《じゅうたん》が敷きつめられているので、足音を心配することはなかった。

三階の自分の部屋へはいると、理帆はベッドに腰を沈めた。呼吸が整うのを待って、上体をベッドのうえに倒す。部屋の電気はつけてないが、庭園燈の明かりが淡く届いている。

「あの女……」

理帆は、つぶやいた。

養父母のやりとりを盗み聴きしていて、理帆はヘドが出そうになった。醜怪というか醜悪というか、不潔感で固まっているような女ではないか。

若い男二人との性的関係を、同時進行させている。

その若い男二人には、お手当てと称して買春費を支払っている。特定の相手とはいえ複数の男を常時、セックスのために買っているのだ。

しかも、あの女はあと数年で、五十歳になるのである。未亡人になって五年だろうが、最低の淫乱女といえる。もっと美人ならば目もつぶるが、あの女では許せない。

阿佐見涼子の取柄は、色が白いことぐらいだろう。それに脚線だけは、まあまあ見られるほうだった。

顔が大きくて、月みたいに丸い。目鼻立ちははっきりしているが、それぞれに美しさや魅力は認められない。

驚くほどの厚化粧で、真っ赤な口紅は異様であった。髪の毛を赤く染めて、金縁のメガネをかけている。下品な印象を与えるためには、条件がそろっていた。

首が短くて太いから、顔と肩のあいだに距離がなかった。胸は大きいが、乳房の位置がよくわからない。三段はともかくとして、ウエストと腰の区別がつかなかった。

尻はブラスバンドの太鼓を思わせ、太腿《ふともも》はおそらく屋根を支える内柱ぐらいあるだろう。特別な肥満体というのではなく、脂肪の塊《かたま》りとなって本来の女体の線を完全に失ってしまっているのだ。

そのうえ全体として、匂うような不潔感が漂っている。理帆はこれまでも、その不潔感に耐えられなかった。阿佐見涼子が笑った顔を見ると、理帆は吐き気をもよおした。

それが、いまの話を聞いて、決定的な状況を招いた。阿佐見涼子の不潔感が五十倍も増量した。あの女への嫌悪感は、百倍にも強まった。

あの女が、全裸になる。

若い男に、手足を絡ませる。

セックスが始まる。

赤く染めた髪を振り乱し、だぶついた身体《からだ》中の肉をブルンブルンと震わせる。

あの女は、われを忘れる。

こうした光景やあの女の姿を想像したら、理帆のほうが発狂しそうになる。あの女は不潔感があるのではなく、不潔そのものなのだと、理帆は激しい怒りを覚えた。

このときから、阿佐見涼子に対する理帆の嫌悪は、憎悪に変わったのである。

それから三日後の夜、事件が起きたのであった。

理帆は自分の部屋で、机に向かっていた。勉強ではなく、単なる読書だった。理帆は、心理学の本を読んでいた。口もつけないコーヒーが冷めてしまうほど、理帆は引き込まれていた。

ドアが、ノックされた。

比呂子かお手伝いに決まっていると、理帆はドアへ目もやらなかった。

「はい」

理帆は、うわの空で応じた。

ドアが、開かれる。

「あら、お勉強ね」

思いがけない声が、部屋の中へはいって来た。

ギョッとなって、理帆は顔を上げた。夢ではないかと、ぼんやりした顔でいる。信じられないことが起きたのだから、当然である。この世でいちばん、ここへ迎えたくない人間が、侵入して来たのだった。

「お邪魔します」

阿佐見涼子は無遠慮に、部屋中に視線を走らせている。

理帆は立ち上がったが、言葉を失っていた。突如として仇敵《きゅうてき》が、目の前に出現したようなものであった。驚きによって、すべての判断力を失うことになった。

「こんばんわ」

何とか言えというように、涼子は誘いの挨拶語を投げかけた。

「こんばんわ」

仕方なく、理帆は挨拶を返す。

「たったいま、お伺いしたところなんですよ」

涼子は、壁の額絵に気がついた。

「そうですか」

理帆の顔色が変わっているはずだが、光線の加減で相手にはわからないのだろう。

「そうしたら、お父さまはあと三十分ほどでお帰りというお話で、待たせていただくことにしたんです」

壁の額絵に近づくために、涼子は理帆の背後にさしかかった。

「そうですか」

理帆は胸のうちで、寄るなと叫んでいた。

「それで待っているあいだに、理帆さんのお部屋を見せていただこうって思いついたんですよ」

涼子は、額絵の前にたたずんだ。

「そうですか」

この部屋の空気まで臭くなりそうだと思うと、理帆は呼吸するのが恐ろしく感じられた。

「だって、わたくしまだ一度も、理帆さんのお部屋を拝見したことがないんですもの。でも、想像していた以上に、広くて素敵なお部屋だわ」

「そうですか」

「広さは、どのくらいかしら。十坪ってところね」

「二十畳って、聞いています」

「やっぱり、十坪だわ。二十畳のお部屋をひとりで使うのは、いまどき贅沢《ぜいたく》がすぎるなんて、わたくしあえて申し上げません。理帆さんは、お金持ちのお嬢さまなんですから、それが当然というほかはないんです」

「お嬢さんだなんて、思ったこともありません」

「二十畳あっても、勉強部屋、寝室、それにリビングを兼ねているようなもんですからね」

「わたしの世界は、これですべてです」

「女の城ですものね。理帆さんは容姿ともに申し分なしの美人だし、女の城の主っていうことになると、さしずめお姫さまでしょうね」

「あの、わたし電話をかけなければなりませんから……」

理帆は我慢できなくなって、涼子を追い出しにかかった。

「理帆さんのお婿さんになる王子さまは、世界一のしあわせ者だわ」

理帆の言葉が耳にはいらないのか、それとも聞こえていて無視しているのか、涼子は額絵の前を動こうとしなかった。

「この時間に、電話をするって約束があるんです」

理帆は後ろから涼子を、突き飛ばしてやりたいという衝動に駆られた。

「ちょっと、理帆さん！」

不意に悲鳴のような声を発して、阿佐見涼子は壁の額絵を両手で握るようにした。

2

その絵画は、壁に掛けるカレンダー二枚分ほどの大きさであった。正確にいえば、Fの三十号である。

新しい作品ではない。全体が濃淡の緑に彩られていて、中央に白っぽく人物が描き出されている。

夏の緑に満ちあふれた庭の樹間にハンモックを吊り、白い衣服の女が午睡《ごすい》のひとときを過ごしている。ただそれだけの絵画にすぎないと、これまでの理帆は決めてかかっていた。

描かれた女が身にまとっているのは、アッパッパみたいな簡単服である。女の足は太く、髪型もいまでは見られない旧式を感じさせる。

そうしたことから、むかし描かれた絵画だろうぐらいの察しは理帆にもつく。聞いたところによると、アッパッパという婦人用の夏服は、大正末期から昭和十年にかけて流行したそうである。

その時代には当然、ハンモックなるものも珍しい。だから、アッパッパとハンモックが強調されているこの絵は、昭和初期の作品ではないかと理帆も考えたことがあった。

だが、それ以上の興味を、覚えたことはない。理帆は思い出したように、この絵画を眺める程度だった。あとはほとんど、目もくれなかった。

何の変哲もない絵画で、額縁も古くて粗末である。もともと絵画に関心の薄い理帆は、画家の署名すら確かめようとしない。確かめたところで、画家の名前を知らない。

それに、この油絵はそもそもが、部屋の装飾品ではなかったのだ。別の意味があって、飾っているのにすぎない。一種の記念品のような油絵を、しまい込む代わりに壁に掛けておく。

そういうことなので、理帆が花房家の養女になったときから、この油絵はここに掛けっぱなしになっている。そんな油絵を見て、阿佐見涼子はどうして狼狽《ろうばい》しなければならないのか。

「お父さまは、この絵をご覧になったことがないのかしら」

阿佐見涼子は、油絵の右端下段の署名に目を凝らしている。

「この部屋を覗いたときに、何度も見ていると思いますけど……」

理帆は、触ってくれるなと気を揉《も》んだ。涼子は両手で、額縁を握っている。カンバスに、息をかけている。涼子の不潔な手や息で、額絵が汚れてしまうではないか。

「じゃあ、お父さまも気づいていらっしゃらないんだわ。でも、お父さまはこの絵を、どこで手に入れたんでしょうね」

涼子はようやく、額縁から手を離した。

「それは、父のものではありません。わたしが、所有者なんです」

理帆は、椅子に尻を落とした。

「えっ！　この絵は、理帆さんのものなんですか」

涼子は、振り返った。

涼子は、血相が変わっている。そういう顔のほうが、男っぽくて変な色気を感じさせない。いくぶん、いやらしくなくなる。代わって涼子の目が、貪欲《どんよく》な輝きを増したようだった。

「ええ」

理帆はさりげなく、鼻と口にハンカチをあてがった。この部屋の空気ももうかなり、涼子の息で不潔になっているという気がしたのだ。

「でしたら理帆さんは、この絵の価値というものをご存じなのね」

「価値ですか」

「そう」

「全然……」

「ご存じないの」

「ええ」

「じゃあ、教えて差し上げましょう」

「結構です」

「あら、知りたくないって、おっしゃるんですか」

「価値があろうとなかろうと、そんなことどうだっていいんです。だから教えられても、仕方がないと思います」

「いいえ、そんなことはありません。勝《すぐ》れた芸術品、貴重な美術品の正しい価値、ほんとの値打ちというものを知っておくことで、その国の国民の文化水準が決まるんですものね」

「わたし、絵には興味がないので……」

「この絵の所有者としても、知っておくべきことじゃないのかしら」

「そうですか」

理帆は、逃げ道を封じられた思いであった。

「わたくし、この絵を一分か二分か目にしているうちに、全身に電流が走るのを感じました。これは、間垣愁介《まがきしゅうすけ》の『午睡』ではないかと……」

涼子は三歩後退すると、改めて額絵を眺めやった。

「マガキ……」

理帆は、聞いたこともない名前を耳にした。

「時間の間、垣根の垣、愁い顔の愁、介入の介と書くんです」

「間垣愁介……」

「間垣愁介は、決して有名な画家ではありません。特に一般には、知られていないでしょうね」

「そうですか」

「間垣愁介は無名の画家のままで、短い生涯を終えた人です。間垣愁介は昭和八年に、二十六歳という若さで病死しました。闘病と貧苦のどん底にいて、作品も数点しか残しておりません」

「そうですか」

「ところが、間垣愁介の絵は彼の死後、次第に評価されるようになったんです。やがては印象派の天才画家と絶讃されて、間垣愁介の作品に勝る日本の印象派の油絵はほかにないとまで、一部の人々の支持を得るようになりましてね」

「そうですか」

「ですけど、肝心な作品がほとんどないんです。間垣愁介の研究家たちは、五点の作品が現存するはずだと指摘しています。でも、持ち主が明らかな間垣愁介の油絵は、いまのところ三点だけです」

「そうですか」

「残りの二点はこの数十年間、発見されないままに終わっています。その一方は、空襲で焼失した可能性が強いというところまで、突きとめられたようです。すると、あとは一点だけ……」

「それが……?」

「長年、まぼろしの名作といわれていた間垣愁介の『午睡』、つまりここに掛かっている絵なんです。作品そのものと署名の鑑定から判断して、わたくしは百パーセント間違いなしと思っていますよ」

「でも、そんな名作がどうしてずっと、ここにあったんですか。普通ならもっと前に売買されたりして、その存在は知られていたはずでしょ」

「ひと口に言えば、埋もれていたってことでしょうね」

「それは評価されるのが、遅かったからですか」

「そう、そのとおり。間垣愁介の絵が有名になったのは昭和三十年代以降、それも世界的に知られた名画ではありません。日本だけのものだし、間垣愁介のファンは日本人に限られています。それで日本の好事家《こうずか》や蒐集家《しゅうしゅうか》が、どうしてもって間垣愁介の絵を欲しがりましてね」

「じゃあ、美術館や絵画館には一点も、保管されていないんですか」

「全然です。現存している三点の作品も、所有者は個人ばかりってことです。個人的に愛蔵しているんですから、どなたも手放したがりません」

「そうですか」

「昭和の初めころに間垣愁介の絵をたまたま手に入れた人は、画家は無名だし値段は二束三文となれば作品を大切にしません。どこかに飾っておくか、蔵の中へ投げ込んでおくかでしょうね。その後、間垣愁介の作品が評価されたり、有名になったり、高値がついたりしても、一般の人はそういうことを知りません。だから依然として、埋もれたままになっている」

「そうですか」

「このまぼろしの名作『午睡』も、いまのいままで埋もれていたんです。それは所有者の理帆さんが、何も知らなかったからでしょうね」

「でも、間垣愁介って画家の作品を持っている人たちは、みなさん個人的に愛蔵しておいでなんでしょ」

「そうですよ」

「でしたら、わたしもそのひとりってことですから、いまのままでいいんじゃないんですか」

「ちょっと、違いますね。みなさんは、間垣愁介の作品の価値を知り尽くしておいでだからこそ、愛蔵なさっているんでしょ。でも、理帆さんは間垣愁介という画家も、まぼろしの名作

『午睡』もご存じじゃありませんでした」

「それが、いけないことなんですか」

理帆の口もとが、やや硬《こわ》ばっていた。

追い出そうとしても、この女は動こうとしない。そればかりか、おもしろくもない講釈を聞かせる。あげくに批判めいた言葉を、理帆に投げかける。

招かれざる客なのに、この不潔な中年女は威張りくさっている。そうした涼子の身勝手な厚かましさが、理帆の怒りの導火線に火をつけそうになるのだ。

「いいえ、いけないとか何とかいう問題じゃなくて、これでは宝の持ち腐れだってわたくしは申し上げたいの。このまぼろしの名作に是非とも日の目を見せたいって。わたくしは発見者として心に燃えるものを感じちゃうの」

涼子は無理に、媚《こ》びるような笑顔を作った。

しかし、涼子の目だけは異様な執着を示すように、じっと『午睡』という絵をにらみつけている。

「この絵は、わたしの実の父が持っていたものです」

涼子は『午睡』を欲しがっていると、理帆にもはっきり読めた。

「あら、そうだったんですか」

涼子は、大袈裟《おおげさ》に驚いて見せる。

「おっしゃるとおり、父はむかしどこからか安い値段で、この絵を仕入れたんだと思います」

「どこに、お住まいだったんでしたっけね」

「富山です」

「この絵を富山で手に入れたんでしたら、きっと大むかしのことでしょうね」

「父もまた間垣愁介という画家を知らず、この絵の価値なんかわからなかったんだと思います」

「それでそのままずっと、宝の持ち腐れでいらしたのね」

「わたしも、ただ何となくいい絵だなって気がして、これを頂戴《ちょうだい》って父に言ったんです。そうしたら、ああ構わないよって父が承知してくれて……」

「そのときから、この絵の所有者は理帆さんってことになったんですね」

「ええ」

「ねえ理帆さん、いかがかしら」

相手が小娘だというのに、涼子は愛想笑いを惜しまなかった。

おいでなすったなと、理帆は胸の中で冷ややかに笑った。

「何ですか」

「わたくしが、この絵を譲っていただきたいってお願いしたら、理帆さんはどういうお返事をくださいますか」

涼子の言葉遣いが、馬鹿丁寧になっていた。

「譲るって……」

理帆は、とぼけていた。

「平たく言えば、売っていただきたいっていうことなんです」

「そんな品物を売ったりしたら、花房家の人間として叱《しか》られます」

「その点は、心配なさらないでください。お父さまにもお母さまにも、わたくしのほうから事情をお聞かせしたうえで、お願いしておきますから……」

「お金なんて、必要じゃないし……」

「それはもう、重々わかっております。ただね、お断わりしておきますけど理帆さんが考えていらっしゃるような金額で、お譲りくださいとは申しません」

「もっと、大金だっていうことなんですか」

「そりゃあ国際的なオークションとか、世界的な名画の売買とかではありませんから、億という値はつけられません。でも、五百万だの一千万だのという値で、お願いすることもございません」

「一千万円より、高いんですか」

「理帆さんに、無理を申し上げるんですものね。わたくしにお譲りくださるんでしたら、三千五百万円という値をつけさせていただきますわ」

「三千五百万円……」

目を見はったのは、理帆の演技であった。

「それくらいの金額でしたら、何かのお役に立てていただけるんじゃないかしら」

涼子が、やや得意そうな顔になったのは、理帆の欲がソロバンを弾いていると思ったのだろう。

「でも、やっぱりお金なんて、あってもしようがありませんから……」

理帆はおっとり構えながら、もうそろそろ涼子をからかうのをよそうと思った。

「何もいまここで、お返事をいただかなくっても……」

涼子は、部屋のドアへ足を運んだ。

「この絵は実の父の遺品として一生、手放さないつもりでいます」

最初から用意されていた返答を、理帆は涼子の背中へ投げつけた。

「いまは、そういうつもりでいらしても何かの拍子に、気が変わることがおありなんじゃないんですか」

ドアの前で、涼子が振り返った。

物欲と性欲で固まったような顔に、涼子は自信ありげな笑みを浮かべていた。それが理帆には、カチンと来た。白い豚を連想すると同時に、理帆の涼子への嫌悪感が一気に沸騰した。

理帆の感情が、前面に押し出される。涼子の頭から、冷水を浴びせたくなる。涼子があわてて部屋から出ていくような衝撃を、与えてやれる言葉が欲しかった。

実はそれに、適している言葉がある。理帆はそれを、何年となく口にしていない。そのことは必要がない限り他人に聞かせないようにと、養父母から厳しく禁じられているためであった。

だが、いまは自制が、間に合わなかった。涼子が何らかの意味でショックを受ければいいと、理帆はそのことだけを考えたのだ。頭より口が、先に動いた。

「実の父が病死したんだったら、いつか遺品を手放す気にもなるでしょう」

理帆は、涼子を見据えた。

「それは、どういうことなんでしょう」

涼子の顔から、笑いが消えた。

「実の父は、殺されました。殺人事件の被害者なんです。そうなると、同じ遺品でも意味が違ってくるとは思いませんか」

理帆は、無表情でいた。

殺されたとか殺人事件とか聞くと、人間はなぜか深刻な面持ちになる。病死だろうと死には変わりないのに、恐れおののくのだ。自分に無関係でも不安そうになり、理由がなかろうとも気分的に圧倒される。

阿佐見涼子も、そうだった。果たして、涼子は狼狽した。何か悪いことでもしたように、涼子は逃げ腰になっている。弔意を表わすつもりか、何度も目でうなずいた。

「それはどうも、失礼なことを申し上げました」

阿佐見涼子は、ドアを開いてから一礼した。

その姿が消えてドアが完全にしまるのを待ち、理帆は椅子のうえの尻と背中を滑らせた。半ば椅子から落ちかかった格好で、理帆は息を吐き出した。ついでに、『あ〜あ』という声も洩《も》れた。

養父母の禁を破って、タブーとされる言葉を口にしたことには悔いが残る。しかし、それによって涼子を怖《お》じ気《け》づかせたことは、何とも痛快であった。

せいせいしたという爽快感が、なお尾を引いている。それにしても、『実父は殺された』という告白は強烈なパンチになるものだった。相手にショックを与えるには、効果的である。これをまた何かのときに利用しようかと、理帆はそう思いながら、エヘッと笑った。

理帆の実父が殺されたというのは、別に嘘でもデタラメでもない。理帆の実父は、有坂尚彦《ありさかなおひこ》という。富山市では老舗《しにせ》とされる造り酒屋の跡取りで、有坂屋酒造株式会社の社長だった。

その有坂尚彦は、理帆が十歳のときに殺された。

殺された場所は、富山市内である。自宅からほど近いビルの建築現場で、時間は深夜の十二時であった。コンクリートブロックでの一撃を頭に浴びたうえ、有坂尚彦は自分のネクタイによって絞殺されたのだ。

犯人は、すぐに逮捕された。

名前は尾形一敏《おがたかずとし》、顔見知りの男であった。尾形一敏は近所で若者を二人ばかり使って、尾形モーターという自動車整備工場を経営していた。

有坂屋でも会社の車の整備は、すべて尾形モーターに任せていた。特に親しくはしていなくても、同じ町内で何らかのつながりを持つ知人同士だった。

そうした二人がなぜ殺人事件の被害者と加害者になったのか、その理由を『喧嘩』としか理帆は教えられていない。

有坂尚彦は、四十歳でこの世を去った。

加害者の尾形一敏も、逮捕後の取調べ中に急死した。尾形一敏は工場にある青酸化合物をカプセルに詰めて、逮捕される前にすでに隠し持っていたらしい。

取調べ中にトイレへ行かせてくれと頼み、尾形一敏はそこでカプセルを嚥下《えんか》したのである。警察のトイレで死亡した尾形一敏も、まだ三十八歳という年齢であった。

加害者の自殺によって、事件に関するいっさいが雲散霧消した。これで、すべてが終わったのである。更にその後の時間の経過が、過去のガラスから事件という曇りをふき取った。

いまの理帆にとって、実父の死は無に等しい。悲しい思い出として、理帆の記憶に残ってもいなかった。実の父の遺品だからと、『午睡』なる油絵に執着するつもりもない。

この油絵を欲しがる相手があの女でなければ、タダでくれてやってもいいのである。

わたしの実の父は殺されました。殺人事件の被害者なんです——。

3

このように打ち明ければ、相手は確かにある種のショックを受ける。阿佐見涼子もたじろいだ感じで、早々に理帆の前から姿を消した。ざまあみろ、強烈なパンチだったろうと理帆は思った。

しかし、理帆の判断はいささか、ひとりよがりがすぎたようである。実のところ阿佐見涼子には、ショックというほどのことではなかったらしい。涼子はただ、驚いたのにすぎなかったのだ。

阿佐見涼子のような女は、自己中心に徹している。自分以外の人間には、情を寄せたりしない。言葉や態度でそれらしく見せかけるが、他人に対して心から同情するといったことがないのである。

見知らぬ人間が殺されようと、無関心でいられる。そんな涼子が理帆の実父は殺されたと聞いて、口もきけなくなるほどのショックを受けるだろうか。普段の涼子からして、繊細な神経の持ち主ではないのだ。

意外なことを耳にして、涼子はびっくりした。あまり楽しい話題とはいえないし、涼子にとってはどうでもいいことであった。それでひとまず退散しようと、涼子は理帆の部屋を出ていった。

実際は、そういうことだったらしい。つまり涼子にすれば、ショックでも強烈なパンチでもなかったのである。三日後にあの白豚が、花房敦夫の前に現われたということがそれを証明していた。

その夜遅くなって、理帆は養父の書斎に呼ばれた。養父の書斎は花房家の二階にあって、クラシックな造りであることが強調されている。書棚を除いた家具調度品は、古い映画のセットを連想させた。

理帆は、広い書斎の中央にたたずむ。和服に着替えている花房敦夫が、デスクに向かう席から立って来た。背が高くて恰幅《かっぷく》もいい養父は、和服がよく似合った。手入れを怠らない口髭《くちひげ》も、決して悪くない。

「寒くないかな」

ソファにすわるように、花房敦夫は手を水平に伸ばした。

「いいえ……」

テーブルを囲む四つのソファのうちのひとつに、理帆は淑《しと》やかに腰をおろした。

十一月半ばの気候であり、理帆はスーツを着ている。涼しくはあったが、寒いというほどではない。花房邸ではまだ一度も、暖房を使用していなかった。

「今日の午後、阿佐見さんが会社のほうへ見えてね」

向かい合いのソファに、花房敦夫も尻を沈めた。

「そう」

理帆は胸のうちで、ちくしょうとつぶやいていた。

阿佐見涼子は、養父の会社へ出向いたのであった。花房敦夫は父親との二代で、最大手の貸しビル業とされるビル建設に成功している。現在、東京の都心と横浜市、千葉市の中心街に、五十五棟の貸しビルを所有する。一時ほどの華々しさはないが、事業として安定しきっている。花房ビルに限り常に満杯であり、テナント募集の広告が出ることはなかった。父親がこの世を去ったいま、花房敦夫は花房ビルの社長という名の総帥《そうすい》だった。

それを裏付けるように、花房敦夫には五十六歳と思えない貫禄が備わっていた。妻の比呂子とのあいだに実子ができないという悩みも、とっくに解消されている。理帆という養女の存在がすでに、実子のいない不満を穴埋めして余りあるのである。

そのような精神的充足が、花房敦夫を温厚な紳士にしている。社会的な信用に加えて、誰からも信頼されるという人徳があった。妻の比呂子も、女らしくて優しい良識家と評判がよかった。

最高の養父母だと、理帆も十分に認識している。誇りにも、思っていた。親不孝は許されないと、折あるごとに自分に言い聞かせている。養父母を不幸にしたり、傷つけたり、悲しませたりするような行為は厳禁だと、理帆は何度ぐらい誓ったかわからない。

だが、それでいて理帆は阿佐見涼子を、憎んで憎んで憎み抜いている。自分でも、恐ろしくなるほどの憎悪だった。涼子を殺さなければならない理由など、どこにもないはずである。

それなのに理帆は、涼子を殺してやりたくなる。理帆が殺人犯になれば、養父母は破滅に近い打撃を受ける。だから人を殺してやりたいと考えるだけでも罪悪だと、理帆は自戒に努めている。

それにもかかわらず、まるで悪魔に唆《そそのか》されるように涼子への憎しみが強まるのだ。どうしてなのか、理帆にもわからない。とにかく、阿佐見涼子がこの世にいることに、理帆は耐えられないのである。

生理的嫌悪感、不倶戴天《ふぐたいてん》の敵と同居しているような不快感、それに最低の人間への憎悪が入りまじり、理帆の殺意に火をつける。涼子を殺したがっている悪魔が、もうひとりの自分として棲《す》みついているのかもしれないと、理帆は本気で考えるときもあった。

「どうだね、大学のほうは……」

花房敦夫が、口を開いた。

「適当に、楽しんでいます」

理帆は、笑顔を作った。

「よくわからないけど、社会科学部の社会心理学科というのはどうなんだ」

葉巻の色をしている細いタバコに、花房敦夫は火をつけた。

「とても、おもしろいわ」

理帆は、身を乗り出した。

「しかし、女子学生は少ないんじゃないのか」

敦夫はタバコの煙りを、ドーナッツのような形にして吐き出した。

「女子学生は、一割にも達しないでしょうね」

煙りのドーナッツを、理帆は目で追いかけた。

「東都大学といえば、天下に知られた仏文科だからな。それなのに理帆が選んだのは、社会心理学という変わったところなんだから……」

「わたし、外国文学って好きじゃないの。それに、語学も苦手でしょ」

「まあ、どっちにしろ来年には卒業だな。留年ってことは、ないんだろうね」

「それだけは、絶対に大丈夫よ」

「それで、わが社に就職するか。花房ビルの仕事に、社会心理学が役立つかどうかは知らないけど……」

「お父さまのその認識は、かなり時代遅れだわ」

「そうかね」

「現代には、社会心理学が役に立たない企業なんて、ひとつもないんですもの」

「それは、知らなかった」

「でも、本社の社長室なんていうのは、向かないでしょうね」

「どこが、いいのかね」

「企画部みたいなところだったら、社会心理学の応用が利くんじゃないかしら」

理帆は、なかなか本題にはいれずにいる敦夫が、気の毒になっていた。

敦夫は阿佐見涼子の話をするために、理帆を書斎に呼んだはずである。だが、敦夫としては、言い出しにくいらしい。それで敦夫は、どうでもいいような会話を続けているのだった。

理帆も阿佐見涼子の話など聞きたくなかったが、最後まで避けて通れることではないだろう。

敦夫もやがては、本題に触れなければならない。それなら早いところ、すますべきことはすませたほうがいい。

「だったら、本社の企画室に理帆を配属しよう」

敦夫はタバコの火を消すのに、いつまでも灰皿に円を描いている。

「本社は、赤坂の花房ビル50号館にあるのよね」

これもかなり旧式な型のシャンデリアを、理帆は見上げた。

「そんなの、お前にもわかりきっていることじゃないか」

敦夫は、怪訝《けげん》そうな目つきになった。

「その赤坂の花房ビル50号館二十四階にある総本社の社長室を、阿佐見涼子さんが訪問したっていうことなんでしょ」

そういう言い方で、理帆は敦夫を話の本筋へと誘った。

「ああ、そうだった。そのことで、お前を呼んだんだっけな」

一瞬とぼけるような表情になってから、敦夫は照れ臭そうに笑った。

「正直なことを言って、いいでしょうか」

膝のうえに両手を置いて、理帆は背筋を伸ばした。

「正直というのは、悪いことじゃないだろう」

敦夫は、真顔に戻っていた。

「わたし、あの人のことがどうしても好きになれないんです」

「あの人って、阿佐見涼子さんのことだろうか」

「ええ」

「あの人は好き、あいつは大嫌いって、人に対する好き嫌いが極端に激しくなる年ごろなんだ。特に、いまの理帆みたいな女の子はね」

「そんなんじゃなくて、あの人から匂ってくるような女の不潔感に、わたし我慢ができないんです」

「しかし、お前はそこまで嫌っている阿佐見さんに、口外することを禁じられている過去の秘密を打ち明けたそうじゃないか。その点が、矛盾しているな」

「打ち明けただなんて、あの人はそういう言い方をしたんですか」

「まあね」

「まるで、違うわ。あの人がしつこく、いつまでもわたしのお部屋に居続けるんで、ショックを与えて追い払う手段として、ほんのちょっと過去のことを喋《しゃべ》ったんです」

「しかし、絶対に他人の耳に入れてはならない秘密を、彼女に聞かせてしまったことには変わりないだろう」

「仕方なかったんです」

「それはお前がまだ、過去を忘れきっていない証拠だよ」

「そんなことないわ。いまのわたしって過去を振り返ったり、むかしを思い出したりするってことが、ただの一度もないんですものね」

「確かに、過去は捨てきった。だけど、過去を忘れきれてはいないってことだろう。富山市も有坂尚彦という人が殺されたことも、殺した尾形という犯人も、理帆が有坂家のひとり娘だったことも、いまのお前にはまったく関係ないんだ」

「よく、わかっています」

「十一年前に、約束したじゃないか。理帆は、養女なんかじゃない。このお父さんと比呂子というお母さんのあいだに、お前は生まれたんだよ。お前は生まれたときから、花房家の子どもなんだよって……」

「わたしだって、そのつもりでいたわ」

「お前が中学二年のときにもう一度、改めて約束したことを覚えているね。お前は花房敦夫と比呂子の実の娘なんだから、それ以外の過去というものはないんだ。もし別の過去を思い出すことがあっても、それは自分の胸の中だけにしまっておく秘密にしなさい。どんなことがあっても、誰に対しても秘密は絶対に口外しないっていう約束だった」

「それも、忘れてはいません」

「ところが、お前はその約束を破った。どんなことがあっても誰に対しても秘密を守るって約束なんだから、仕方がなかったというのは言い訳にならないんだよ」

「そういうことになりますね」

「理帆、ここで親子の約束ってものを、再確認しようじゃないか」

「はい」

「第一に、理帆は花房敦夫と比呂子のあいだに生まれた実子であって、養女といった意識をこれっぽっちも持たないこと」

「はい」

「富山市と富山の人たち、富山における出来事はすべて理帆に無縁であって、別世界における現象として忘れ去ること」

「はい」

「第三に、存在しない過去なんだから、むかしのことはいっさい口外しない」

「はい」

「以上三つの約束を、ここでし直すというのはどうだろう」

「はい」

「約束してくれるね」

「はい。約束は、二度と破りません」

申し訳ないという気持ちから、理帆は頭を下げていた。

「よかった」

敦夫はソファの背にもたれて、全身の力を抜くように吐息した。

そのようにホッとした敦夫を見ると、理帆の鼻にツーンと痛みが走る。敦夫も比呂子も実の娘として、理帆のことを心から愛してくれている。

そのうえ、恵まれすぎていると言いたくなるほど、何ひとつ不自由のない生活環境を与えられているのだ。理帆が敦夫と比呂子にいかに感謝しようと、まだまだ不足だということには間違いない。

そうした敦夫と比呂子を裏切るようなことをすれば、人間の皮をかぶったケダモノである。犬猫にも劣るどころか、悪魔の化身であった。理帆の人間性の善良な部分は、つくづくそのように思う。

だが、もうひとりの理帆というのも、いまもって健在なのだ。もうひとりの理帆は、相変わらず阿佐見涼子を憎んでいる。殺してやりたいという憎悪の炎が、勢いを増す一方なのであった。

「阿佐見さんはお父さまに、何を言いに来たんでしょう。ただ、わたしから過去のことを聞かされましたって、告げ口をするために見えたのかしら」

涼子への憎しみが、理帆にそんな質問をさせた。

「いや、理帆さんから意外なことを打ち明けられたけど事実なんですかって、阿佐見さんはぼくのところへ確かめに来たんじゃないのかな」

敦夫はグラスに、少量のブランデーを注《つ》いだ。

「どうしてあの人に、そんなことをする必要があるのかしら」

「あの人は、好奇心の塊《かたま》りなんだよ。画廊の経営者として、また画商として絵画に対する好奇心が異常に強いのは当たり前なんだけど、阿佐見さんの個人的なスキャンダルや恋愛問題に向ける好奇心も、かなり異常って感じだな」

「それでお父さまは、どんなふうに答えたんですか」

「プライバシーにかかわることには、徹底的にノーコメントで通すのがぼくの主義だからって、何を訊《き》かれてもいっさい相手にならなかった」

「結局、阿佐見さんは諦《あきら》めたのね」

「彼女の究極の目的は、どうもお前の部屋に飾られている絵にあるらしい。あの絵はお前が有坂尚彦氏から譲られたもので、その有坂尚彦氏は殺人事件の被害者と聞かされた。それで阿佐見女史はお前の過去に興味を抱いて、ぼくのところへ話を訊きに来たんだろうね」

「あの絵は、間垣愁介という天才画家の『午睡』という作品で、数十年も前からまぼろしの名作として、その所在が注目されていたんですって」

「そうだそうだね。ぼくも今日まであれが昭和初期の印象派の天才画家、間垣愁介の作品だとはまったく気がつかなかった。今日、愛好者が目の色を変えて捜し求めている『午睡』というまぼろしの名作だって、阿佐見女史から教えられてぼくもびっくりしたんだよ。絵画の鑑賞を趣味とする人間として、ぼくは大恥をかいたことになる」

「阿佐見さんはあの絵を、三千五百万円で買いたいって言い出したわ。それも、かなりしつこく迫られそうだったのでわたし、これは殺された人間の遺品だっていう話を持ち出したんです」

「思いきって、売ってしまったらどうだ。三千五百万円は、お前の小遣いにすればいいじゃないか」

「そんな大金、必要じゃないですもの」

「有坂尚彦氏は、お前に縁もゆかりもない人だ。その有坂氏の遺品ともいえる絵を、いまなお大事そうに飾っているってのはやはり、過去と絶縁するという約束に違反するんじゃないのかな」

「あの絵に、そういった未練は感じていません。あれが誰かさんの遺品だっていう意識もないんです。だから欲しがる人がいれば、いつだって手放します。売るんじゃなくて、プレゼントしたっていいわ。でも、あの阿佐見さんだけは、絶対にいや！」

髪の毛が乱れるほど、理帆は激しく首を振った。

「どういうわけかわからないけど、阿佐見女史も理帆にはずいぶん嫌われたもんだ」

敦夫は吹き出しそうになって、口の中のブランデーをあわてて喉《のど》へ流し込んだ。

これで、敦夫と理帆の話し合いは終わった。敦夫は気分的にすっきりしたのか、いつものように和《なご》やかな顔つきでいた。理帆が過去の秘密を涼子に明かしたのも、それほど深い意味があってのことではないと理解したのだろう。

それに再度の約束に理帆が素直に応じたことも、敦夫を安心させたのに違いない。しかし、理帆にすればいまさら、過去を捨てきれないも何もあったものではない。理帆は完全に、過去と絶縁している。

だからこそ、わたしの実父が殺されたなどと、平気で口にすることができるのだ。もし実父の思い出が理帆の心の中に生きているようなら、かえって殺されたといったことは他人に話せないだろう。

事実、理帆は実父を懐かしく感じたことは一度もない。悲しい回想となって、頭に蘇《よみがえ》ることさえなかった。富山市というところも、生まれ故郷どころか知らない土地になりつつあった。富山市の有坂家と、有坂屋酒造株式会社の社屋の全景は、理帆の記憶に残っている。だが、それは写真のようなものにすぎず、理帆の胸の中の鏡に映し出されることはなかった。

理帆にはもはや、有坂尚彦という父親はいない。みずからのネクタイで絞殺された有坂尚彦という男なら、理帆もむかし知っていた。ただ、それだけのことである。

「過去は捨てたり、忘れたりするものじゃないわ。過去は消滅して、無になってしまうのよ」

ベッドの中でそうつぶやいてから、理帆はエヘッと笑った。

4

有坂尚彦は、二十九歳で結婚している。結婚した相手は、戸籍によると友井夏代《ともいなつよ》という女で、本籍地は名古屋であった。しかし、当時の友井夏代はマキという源氏名で、金沢市内の高級クラブのホステスをしていた。

その金沢の高級クラブへ、有坂尚彦は富山市から通いづめだったという。その夜のうちに富山まで帰れないので、ほとんど金沢のホテルに一泊することになる。

それもマキというホステスに、夢中になってのことだった。泊まりがけでのクラブ通いだから、有坂尚彦がいかにマキに惚《ほ》れ込んだかは説明の必要もない。

間もなく有坂は、マキと結婚すると言い出した。これには親戚も含めて、有坂一族はびっくり仰天した。もちろん、全員が反対だった。妙に純情なところがあって、お人よしで、お坊っちゃん育ちで、一途《いちず》になる性格だということを誰もが承知していたからである。

「有坂屋酒造の後継者だし、お金も気前よく使うからねえ」

「次期社長でボンボンとくれば、いいカモにされて当たり前だ」

「尚彦さんは純情で、真面目だったから、初めての遊びが遊びでなくなって、のめり込んじゃうんだろうよ」

「聞いた話だけど、マキというホステスは海千山千のやり手だそうだ。年はまだ二十四、五らしいが、色仕掛けとなると一級品だってことだぞ」

「財産目当てに決まっているし、有坂家の嫁が務まるわけがない」

「とにかく、尚彦に目を覚まさせんといかんな」

「しかし、尚彦があそこまで入れ揚げているとなると……」

親族会議で何とか有坂尚彦の頭を冷やすようにしようと意見が続出したが、やはり色恋の道に口出しは無用という結果に終わった。有坂尚彦は目を覚ますどころか、マキという女にますます熱くなった。

間もなく、マキは妊娠する。有坂尚彦は、自分の子どもに間違いないと言い張る。マキも、出産すると意思表示をした。そうなっては、やむを得ない。

挙式だけで、披露宴は省略する。挙式も内輪ですませて、マキの親族は招待しない。と、こういう条件付きで、結婚を認めることにした。マキはとっくにホステス業から身を引いて、友井夏代に戻っていた。

腹の大きいのが目につく姿で、友井夏代は有坂尚彦との結婚式に臨んだ。結婚して四カ月後に、夏代は無事に女児を出産した。その娘は、『理帆』と名付けられた。

だが、何とか治まっていたのは、ここまでであった。夏代はわが子に乳も与えず、すべての世話を姑《しゅうとめ》に任せっぱなしだった。産後の身体が回復すると、夏代は富山市内で夜遊びを始める。

家事はいっさい手伝わない。育児には知らん顔、夜遅く酔っぱらって男に送られて帰宅する、朝寝坊で家族と一緒に食事をしたことがない、夫の預金通帳から勝手に金を引き出す、お手伝いには威張り散らす。

これでは厳格な姑と、衝突しないほうがおかしい。家にいれば、姑の怒りを買う。それで夏代は、昼間から出かけるようになる。そのうちに、不倫の噂まで聞こえて来た。

ここまで来て、有坂尚彦もようやく目が覚める。有坂尚彦は、夏代との離婚を決意する。夏代は待っていたとばかりに、莫大《ばくだい》な慰謝料を要求した。

有坂家では慰謝料を払う理由はないが、手切れ金ならくれてやると、要求通りの金額を夏代に渡した。夏代は赤ン坊の顔も見ないで、有坂家を去っていった。

わずか一年余の結婚生活だったが、有坂尚彦はよほど懲《こ》りたらしい。有坂尚彦は、二度と結婚を望まなかった。四十歳で殺されるまで、独身で通したのである。

理帆にとっては、祖母が母親代わりだった。有坂尚彦は家業に打ち込んでいて、滅多に理帆と顔を合わせることがない。一緒にいるときは、普通の父親であった。理帆を猫可愛がりしない代わりに、叱りつけることもなかった。

理帆が十歳になったとき、有坂尚彦に突然の死が訪れる。そのうえ、有坂尚彦が殺されたことのショックが遠因となり、一カ月後に祖母もこの世を去ったのだった。有坂尚彦には、二人の弟がいた。それぞれが、有坂屋酒造の専務と常務の地位にいる。有坂尚彦という社長の死により、専務と常務がそっくり事業を受け継ぐことになる。有坂屋酒造に大した影響はなく、これまでと少しも変わらなかった。

変わったのは、理帆の身の上であった。理帆は父親と、母親代わりの祖母を一度に失った。もう本家のひとり娘ということで、責任を持って理帆をバックアップしてくれる人間はいない。

これからの有坂一族や有坂屋酒造にしてみれば、理帆は余計者ということになる。主流からはずれた人間は、急に邪魔な存在と目されるものだった。

そんなこともあって、元専務で新社長に就任した叔父が、理帆の扱いについて東京の友人に相談を持ち込んだらしい。その友人というのは弁護士で、六本木の花房ビル12号館に事務所があった。そういう関係で弁護士は、花房敦夫をよく知っていた。

花房敦夫は三年前に、ひとり娘を心臓疾患で亡くしていた。妻の比呂子が妊娠したのはただの一度だけだし、夫婦の年齢を考えても養子を迎えたほうが賢明かもしれないと、花房敦夫は弁護士に話したことがあった。

弁護士はそのことを思い出して、花房夫妻に打診してみることにした。ところが理帆の写真を見たとたんに、花房夫妻は予想外の反応を示すことになる。

「これは驚いた」

花房敦夫は、写真を見つめたままでいた。

「そっくり……」

妻の比呂子は、笑いながら涙ぐんでいる。

「絹子にこんなに似ている女の子を、見るのは初めてだよ」

花房敦夫は、死んだ娘の名前を口にした。

「間もなく十一歳になるんだったら、年も絹子と同じでしょ」

比呂子は、わが子の写真を眺めるような目になっていた。

「神さまのお引き合わせだ」

花房敦夫は、頬を紅潮させた。

「絹子が、この理帆さんになって蘇るんだったら……」

比呂子は、泣き出していた。

この瞬間に、花房夫妻の心は決まったのであった。理帆の父親が殺されたということは、問題にならなかった。理帆の母親の話も聞かされたが、花房夫妻は一笑に付した。有坂屋酒造の前社長の娘というだけで、身元は十分に確かなのであった。

花房夫妻を何よりも感激させたのは、理帆が亡き娘の絹子と瓜二つであり、また同年齢でもあるという偶然だったのだ。絹子がこの世に蘇生したのであって、理帆は実子と変わらないと花房夫妻は信じたのである。

「理帆には、養女になる気があるかい。無理には、すすめないがね」

叔父からそう言われたとき、理帆は少しも動揺しなかった。

「理帆を養女に欲しがっているご夫婦は、東京にたくさんのビルを持っていらっしゃるお金持ちなんだ。もちろん理帆も、東京に住むことになる」

叔父の言葉つきは、いつになくやさしかった。

「お金持ちじゃなくたって、どこに住むことになったっていいわ。わたし、養女にしてもらう」

十歳の理帆は、躊躇《ちゆうちよ》することもなく答えた。

それだけ富山市の有坂家に、執着がなかったのだろう。一歳にもならないうちに、母に見捨てられた。父は殺され、母親代わりの祖母も死んだ。頼れる人間もいない有坂家には、用のない理帆であることを少女は敏感に察知していたのだろう。

有坂家に別れを告げて、違う世界に新しい人生の出発点を見出そうと、子ども心に分別が働いていたのかもしれない。少なくとも有坂家に、本物の愛がないことを理帆は知っていた。富山市というところにも、いい思い出はひとつもないのである。

叔父の友人の弁護士とともに、花房夫妻が有坂家を訪れる。理帆と直接対面するためだった。花房夫妻は理帆という美少女が、写真以上に亡き娘とよく似ていることに驚嘆した。

理帆のほうも花房夫妻に、これまで知らなかった父と母というものを感じた。花房夫妻はすでに、理帆をわが手にしなければ承知できない気持ちになっていた。理帆にも、まったく異存がない。

法律上の手続きを経て、正式に養子縁組が成立する。富山市と有坂家に永遠の別離のときを迎えて、有坂理帆は花房理帆に変身する。理帆は東京都港区元麻布三丁目の花房邸に住み、花房夫妻のひとり娘になったのであった。

それから十一年――。

理帆はもう、花房夫妻の娘になりきっている。花房敦夫も比呂子も、実の娘と変わらない情を理帆に注いでいた。養父母と養女という壁は、完全に取り除かれている。

理帆にしてみれば、阿佐見涼子という女の出入りさえなければ、花房家は天国のように平穏な家庭であった。あの大嫌いな女が花房家の空気を不潔にするがゆえに、理帆の心は妙に荒《すさ》ぶのである。

その後も十日に一度は、阿佐見涼子が花房家を訪れた。涼子の目的は間垣愁介の『午睡』を、売ってくれと理帆に懇願することにあった。

理帆は涼子と顔を合わせるのを避けるために、いつも台所かお手伝いの部屋に逃げ込んだ。台所には絶対にはいってこないし、まして涼子がお手伝いの部屋にまで踏み込むことがないからだった。

「理帆さん、そんなに阿佐見さんに会いたくないの」

比呂子が、あきれた笑い方をした。

「もう、駄目」

顔をしかめて、理帆は身震いした。

「生理的な嫌悪感に耐えきれないとは、聞いたことがあるけど……」

「お母さま、何も感じないの」

「そりゃあ、わたくしだってあまり好きにはなれないタイプだけどね」

「あの吐き気を催すような不潔感、憎たらしいくらいの厚かましさ、普通の人間にはない品性の下劣さ。わたしのお部屋にはいってこられたりしたら、もう気が狂いそうになるわ」

「困ったわね」

「わたしに会いたがらなければ、別に構わないんですけど……」

「彼女が理帆に会いたがるのは、例の絵を何とかして手に入れたいからなんでしょう」

「多分、そうでしょうね」

「だったら、簡単な解決法があるわ」

「どんな……」

「あの絵を阿佐見さんに、売って差し上げればいいのよ」

「でも……」

「理帆さん、あの絵には未練も執着もないっていうことなんでしょ。だったら、手放したっていいじゃないの」

「だけど、あの白豚さんだけには渡したくないの」

「白豚さんだなんて、そんな失礼な言い方はいけませんよ」

「はい」

「ほかの人なら、タダで進呈する。阿佐見さんだったら、いくらお金を積まれても売りたくない」

「そうなの」

「だけど、ものは考えようでどうにでもなるわ。あの絵はいつまでも、阿佐見さんが所有しているわけじゃないのよ」

「どうして、そうとわかるの」

「だって、商売ですもの。阿佐見さんは、理帆さんから買った倍ぐらいの値段で、あの絵を欲しがるお客さんに売ることになるわ。だから、あの絵は理帆さんの知らない人の手に、渡るってことになるのよ」

「そうか」

「つまり理帆さんは、阿佐見さん以外の人にあの絵を売ったのと変わらない。ものは考えようって、そういうことなの」

「なるほどねえ」

「阿佐見さんは、ただの仲介者。その仲介者にあの絵を、一時的に預けるんだと思えばいいのよ」

「そういうふうに、頭を切り替えればいいのね」

「あの絵を渡してしまえば、もう阿佐見さんはあなたに会いたがらないわ。それで、すべては解決よ」

「わかりました」

「ただ頑固なだけでは、問題は片付きませんよ」

比呂子は笑いながら、理帆の肩をポンと叩いた。

「考えてみます」

真面目な顔で、理帆はうなずいた。

しかし、決して涼子に『午睡』を売ってもいいと、決断を下したわけではない。何も進んで、あの女に金儲けをさせることはないと、理帆には意地の悪い考えが生じていた。三千五百万円では不足だ、五千万円だったら売ってもいいと吹っかけてやる。そのくらいのことをしてやらなければ、気がすまないと理帆は思った。

十二月になった。

十二月の二日に、故郷の岩手県へ帰るという親友を、理帆は東京駅まで送っていった。同じ東都大学で社会心理学を専攻する女子学生で、理帆とはいちばん仲のいい関係にある友人だった。

だが、父親が急死したことで、学生生活を続けることが難しくなった。来年には卒業するという大学を中退して、その親友は盛岡で家業を継がなければならなくなったのである。

東北新幹線に乗った親友と別れを惜しみ、理帆は発車してからも手を振り続ける。明日から大学が寂しくなると、孤独感を味わいながら理帆はホームをあとにした。

八重洲口に出て、タクシー乗り場へ向かう。正午をすぎて間もない時間だが、タクシー乗り場には長い行列ができていた。何気なく、行列の前方を見やった。

明るいブルーのコートが目についた。髪の毛を赤く染めていて、小太りの女であった。横顔は口紅を真っ赤に塗った厚化粧で、金縁のメガネをかけている。

「いた！」

理帆は、胸のうちで叫んだ。

紛《まぎ》れもなく、阿佐見涼子である。

左手に、旅行用のバッグを提げている。旅行から帰って来たところだろうが、涼子には男の連れがいた。涼子は右手で、男の腕を抱え込んでいる。

男のほうは迷惑そうに、あたりを見回していた。黒皮のズボンをはき、同じ黒皮のジャンパーを着ている。まだ若い男で、二十三、四といったところだろうか。

彫りの深い顔立ちで、精悍《せいかん》な容貌をしている。髪を短く刈り込んでいて、いい体格をしているうえに長身であった。美男子というより、個性的な魅力を感じさせる。

どこかで見たことがあるという気がしないでもないが、理帆の知っている男ではなかった。有名なロック歌手に、似ているのかもしれない。

涼子は何やら、若者に話しかけている。若者は知らんぷりをしているが、涼子はしきりと訴えているようだった。甘えて、媚《こ》びている。

理帆は、胸がムカついた。こんなところに立っていて、涼子を眺めていては、吐き気がする。どこか違う場所で、タクシーを拾うほうがよかった。

理帆は行列にそって、ゆっくりと歩き出す。涼子との距離が、縮まった。涼子は男と向き合っているから、後ろを通りすぎる理帆に気づくはずはない。

それでもコートの襟を立てて、理帆は顔をそむけることにした。

「ねえ、いいでしょ。二時間ぐらいの寄り道ですもの」

「いや、急ぎますから……」

「せっかく、お知り合いになれたのに、もったいないわ」

「もったいないって、何がですか」

「このまま、お別れするのが……」

これだけのやりとりが、理帆の耳に達した。若者は、涼子の男妾《おとこめかけ》かと思ったが、そうではないようである。言葉遣いが他人行儀だし、知り合ったばかりのようだった。

おそらく新幹線で隣り合わせの席にすわり、涼子のほうから積極的に話しかけたのだろう。もちろん涼子には若者を、淫行の相手にしようという下心があってのことなのだ。

それでいま涼子は二時間ぐらいの寄り道をしようと、必死になって若者を口説いている。銀座のアサミ画廊のビルの最上階には、ベッドも置かれた寝室があるという。涼子はもっぱらそこで二人の男を買春の相手として、セックスに励んでいるそうだった。

いまの涼子はいつもの男妾ではなく、知り合ったばかりの若者を誘惑している。銀座のアサミ画廊へ、連れ込みたいのに違いない。だが、若者は乗ってこない。

それで涼子は、せっかく知り合ったのにこのまま別れるのはもったいない、といったセリフを吐いたのであった。

不潔、淫乱、厚顔無恥！　白豚め、殺してやりたい！　そう喉の奥で叫びながら、理帆は足を早めた。理帆は呉服橋まで歩いて、タクシーに乗った。

翌日は土曜日で、大学は休講だった。理帆は午前十時ごろから、門と玄関のあいだの掃除を始めた。それがいちおう終わると、ついでに門の前も掃除しておこうと理帆は思い立った。

通用門から、外へ出る。高級住宅地の道路は、通り抜けする車も滅多に走行しない。通行人の姿も、ほとんど見かけなかった。しかし、門の前に突っ立っている男が、理帆の目に映じた。

「あっ……」

理帆は、小さく声を上げた。

短く刈り込んだ頭髪、彫りが深くて精悍な顔、長身、黒皮のジャンパーとズボン、二十三、四歳の若者――。

昨日、東京駅八重洲口のタクシー乗り場に、阿佐見涼子と一緒に並んでいた青年と同一人物である。あの若者がいま、どうして花房邸の門前に立っているのか。彼はたまたま通りかかった人間ではなく、明らかに足をとめて『花房敦夫』とある表札を眺めていたのだ。

第二章　殺人者の息子

1

　若者はあわてて、逃げ去ったりはしなかった。門柱の表札から理帆へ、視線を移しただけであった。そのまま若者は、理帆をじっと見つめている。

　眼差しは暗いが、目は澄んでいた。どことなく甘いマスクなので、理帆は威圧感も恐怖も覚えない。初めて見つめ合う若者なのに、理帆は以前からの知り合いのような親しみを感じる。個性的にバタ臭い容貌も、むかし理帆がファンだったロック歌手を思い出させるという意味で好感が持てる。それに理帆には、この若者がなぜ花房家の表札を眺めていたのか、という好奇心が働いていた。

　そのような理由から、理帆は若者の視線をまともに受けとめていたのである。門前に竹箒《たけぼうき》を抱えたまま立ちつくす若い女と、路上にたたずむ若い男が身動きもせずに見つめ合っている。

これは傍目《はため》には、珍妙な光景として映ずるかもしれない。だが、あたりに人目はなく、初冬の日射しが地上に男の影を落としているにすぎない。

土曜日の午前中の高級住宅街は、まだ眠りの中にあるように森閑としている。どの豪邸も、庭の樹木と長い塀しか見せていない。突き当たりの道路となると車の往来の絶えることがなく、すぐ近くなのに別世界のように騒がしい。

「何か、ご用なんですか」

理帆は若者に、明るく声をかけた。

「別に……」

男のほうが、ついに目を伏せた。

「じゃあ、ただ何となく、そこに立っていたんですか」

そんなはずはなかろうと、理帆は白い歯を覗かせた。

「あんた、おれのことを知っているんですか」

若者が、逆に質問した。

「えっ……」

理帆はどう答えるべきか、戸惑いを覚えていた。

「いま、あんたはおれの顔を見て、あって声を上げたでしょう」

男は鋭い視線を、理帆の目に戻していた。

「ああ、そのことね」

理帆はこうなったら、正直に答えるほかはないと思った。

「最近、会ったことなんてあるはずないんだけどな」

若者は、探りを入れるような口ぶりになっていた。

「わたしが一方的に、あなたをお見かけしたんです」

「いつ……」

「昨日の正午すぎでした」

「どこで……」

「東京駅の八重洲口のタクシー乗り場です。あなた昨日の正午すぎに、八重洲口のタクシー乗り場にいらしたでしょ」

「そいつは確かだって認めるけど、それにしても驚いたなあ。あんたって通りすがりの人間や、ちょっと見かけただけの相手の顔を、みんな記憶できるんですか」

「まさか」

「だって現に、タクシー乗り場で見かけただけのおれのことを、はっきり覚えていたんだから……」

「それはあなたの連れが、わたしの知り合いだったからです」

「連れって……」

「年齢は、四十七歳。髪を赤く染めて、金縁のメガネをかけて、チンドン屋みたいな厚化粧。昨日はブルーのコートを着ていたけど、そのコートもはちきれそうに肥満体の女性です」

理帆の顔は、自然に硬張《こわば》っていた。

阿佐見涼子のことを話題にして、その顔と身体つきが思い浮かんだからである。そうなればどうしても、理帆は不愉快にならざるを得ない。一瞬にしてこの世の中が、おもしろくなくなるのだ。

「ああ、あのエロおばさんね」

照れ臭そうに、若者は頭に手をやった。

「エロおばさんに、誘惑されたってことですか」

理帆の声が、やや甲高《かんだか》くなった。

この若者が阿佐見涼子の誘惑に乗ったというのであれば次の瞬間、理帆は通用門から邸内へ逃げ込むつもりでいた。

「冗談じゃない、こっちだって選ぶ権利がある。十万や二十万の小遣いで、相手をしろというほうが無理だ。あんたの知り合いを、こんなふうに侮辱しちゃって申し訳ないんだけど……」

若者は、苦笑を浮かべた。

「構いません、徹底的に侮辱してください。侮辱されて、当然といえる女性なんですものね」

どうやら若者は涼子の誘いを拒絶したらしいと、理帆はホッとする一方で冷静さを取り戻していた。

「だけど、あそこまで露骨に男を求めるエロおばさんが、実際にいるんだなって驚くばかりだったな」

若者は、感心するように首をひねった。

「複数の男をお金で買うとなったら、もう限りなく不潔な女としか言いようがないでしょうね」

理帆は地面にペッと、唾を吐きつけたい気持ちでいた。

「ところで、あんたはこの豪邸のお嬢さんでしょ」

若者は唐突に、話題を変えた。

「さあ、お手伝いさんかもしれないわ」

理帆は、悪戯《いたずら》っぽく口もとを緩める。

「花房理帆さん」

若者は、つぶやくように言った。

とたんに、理帆の顔から笑いが消えた。この男はやはり、たまたま花房家の門前の道を通りかかったわけではない。何やら目的があって、元麻布三丁目へ足を向けたのである。彼が目ざしたのは、花房邸であった。だからこそ男は、花房邸の門前で足をとめて表札を見守っていたのだ。

表札には、『花房敦夫』としか書いてない。したがって花房という姓はわかっても、理帆の名前までは知りようがないのであった。ところが若者は、理帆という名前を承知していた。つまり、若者は以前から理帆のことを知っていて、その存在を意識してもいたといえるのだった。では、この男は理帆と何らかの接点を、持ったことがあるのだろうか。理帆のほうに、そのような覚えはない。

いったい何者なのかと、理帆は気味が悪くなったのである。

「あなたのお名前は……」

理帆は訊いた。

「尾形です」

若者は、素直に答えた。

「尾形さん」

知らない名前ではないと思いながらも、理帆の記憶には反射的に蘇らなかった。

「尾形久彦《ひさひこ》、住所は富山市」

若者は、サングラスをかけた。

「富山市……！」

理帆は、ハッとなった。

「じゃあ、また……」

尾形久彦と名乗った男は、理帆に背を向けた。

「わたしに何か、用があるんですか」

両膝が震えるのを、理帆は感じた。

「今夜の九時に、電話します」

尾形久彦は、背中で言った。

尾形久彦は、振り返らずに立ち去って行く。理帆はそれを、茫然《ぼうぜん》と見送る。何ということだろうと、理帆は胸のうちでつぶやく。

近ごろ理帆の心は、阿佐見涼子という憎悪の対象によって乱されている。とはいうものの理帆の日常生活が、破壊されるところまでにはまだ至っていない。

だが、今度は理帆の平穏無事な人生に、大きな岩が投げ込まれたのだ。水面に波紋を広げる程度では、とてもすみそうにない。波風が立って海は荒れ、理帆の人生航路に重大な影響を与えそうだった。

投げ込まれた大きな岩石とは、尾形久彦の出現である。昨日までの理帆には、想像も及ばないことであった。ある日、突如として予想だにしなかった椿事《ちんじ》が起きる。

それが人生であり、人間それぞれの宿命だというならば、成り行きにまかせるほかはない。

しかし、何ということだろうと理帆が、この思わぬ異変に驚嘆《きょうたん》するのは無理もなかった。

尾形久彦。

富山市に、住んでいる。

十一年前に、理帆の実父の有坂尚彦を殺害した犯人の名前は、尾形一敏であった。尾形一敏の妻は、評判の美人で奈津江《なつえ》といった。尾形一敏・奈津江夫婦のあいだには、男の子がひとりだけいた。

有坂屋酒造と有坂家は、富山市の愛宕町にあった。愛宕町は、富山駅の南西に位置している。直線距離にすれば、富山駅から一キロぐらいだろう。

十歳になるまで住んでいたところなので、理帆も愛宕町とその周辺の様子を忘れてはいない。郊外でも住宅地でもないが、いくつもの寺院に囲まれているという印象が強かった。

尾形モーターも、同じ愛宕町にあった。それに有坂尚彦が殺された場所も、やはり町内のビル建築現場だったのである。理帆は尾形モーターという自動車整備工場をよく知っていたし、尾形一敏や奈津江とも何度か顔を合わせたことがあった。

口をきいたことはない。親しいおじさん、おばさんではなかった。したがって、いまになってみると尾形一敏や奈津江の顔は、理帆の脳裏に必ずしも鮮明に描き出されるものではない。

しかし、尾形家のひとり息子となると、不思議に理帆の記憶に残っている。その息子とも理帆は口をきいたことがないし、もちろん行動をともにした覚えもない。理帆は、その男の子の名前すら知らなかった。

事件があったのは四月だが、そのころの理帆はホヤホヤの小学四年生だった。そして尾形家のひとり息子は、中学一年生になったばかりであった。

あの男の子は自分より三つ年上だったのだと、理帆はいまになって気がついた。

それから間もなくして、逮捕された尾形一敏が警察のトイレで、青酸化合物を嚥下して自殺を遂げる。尾形モーターは営業を停止、無人の建物と化した。

奈津江も子どもを連れて姿を消したらしく、それっきり尾形少年を見かけることはなかった。

五月になって、理帆の祖母が急死する。それから三カ月間、理帆の面倒を誰が見るかという話し合いが、二組の叔父夫婦のあいだで続けられたらしい。

九月に、花房敦夫の登場となる。

十月には、養子縁組が正式に決まる。

十一月に理帆は花房家に入籍され、新しい人生を迎える。理帆は富山に別れを告げて、東京という新天地へ移る。有坂理帆から花房理帆にと、完全に変身したのである。その時点で、尾形久彦との縁も切れた。

別世界の人間になったと、いってもいいだろう。二人の人生は遠く離れた軌道をたどり、まかり間違っても接近することはない。二人は永久に、再会することのない人間同士なのである。

そのはずだった——。

だが、そうはいかなかった。なぜか十　年後に尾形久彦が、理帆の前に現われたのであった。尾形久彦と名乗った若者は、尾形一敏の息子に違いなかった。

理帆は今日まで、久彦という名前を知らずにいた。しかし、理帆に対して富山市に住む尾形と告げたからには、あの尾形一敏の息子と断定すべきであった。

尾形久彦は、花房家の門前にいた。訪問というより、偵察の段階だったのだろう。それに尾形久彦が、花房敦夫や比呂子に用があるとは考えられない。尾形久彦の目的は理帆に置かれている。

なぜ――。

普通、殺人事件の加害者の肉親は、被害者の遺族に会いたがらないものと思われる。招かれても、遠慮する。顔を合わせる可能性があれば、事前に何とか避けようと努める。声をかけられただけで、逃げ出すかもしれない。

みずから進んで面会を求めるといったことは、絶対にないのではないか。しかも、事件からすでに十一年の歳月が流れている。いまさら、謝罪の必要もない。

いや、尾形久彦は父親の罪を詫《わ》びるという態度は、まったく示さなかった。ケロッとしているというか、一般の人たちと変わらない。むしろ理帆と対等の立場にいて、尾形久彦は平然と構えていた。

尾形久彦の目的は何かと、いっそう無気味に感じられる。一日中、理帆は落ち着けずにいた。今夜九時に電話するという尾形久彦の言葉が、理帆の耳の奥に残っていて消えなかった。

夕食後に、むかしから親しくしている比呂子の友だちが、三人連れ立って訪れた。おそらく三時間は、応接間で話し込むことになる。応接間にも電話機はあるが、比呂子はお喋りのほうを優先するだろう。

敦夫は今夜の帰宅が、十一時ごろになるという。お手伝いは自分の部屋に引き揚げれば、もう食堂やリビングの電話が鳴っても聞こえない。

どうやら理帆がいやでもいちばん先に、電話に出ることになりそうであった。理帆は八時半まで、リビングでテレビを見ていた。それから、ブランデーのボトルとグラスを手にして、理帆は三階へ向かった。

三階の部屋には前もって、氷と水の用意がしてあった。理帆に、飲酒癖はない。だが、今夜は自分を勇気づけるために、アルコールを必要としている。

それで敦夫が愛飲するブランデーを少々、盗むことにしたのだった。理帆はグラスに、ブランデーを注いだ。コップには、氷と水を入れた。理帆は椅子にすわって、恐る恐るブランデーを口に含んだ。

噎《むせ》そうになるのを我慢して、ブランデーを飲み下す。食道が焼かれるように熱くなり、それが激しい痛みに感じられる。理帆はあわてて、口の中へ氷水を流し込んだ。

痛みは消えたが早くもアルコールの効果が現われたらしく、理帆は目の前が明るくなるような解放感を覚えた。急に気が大きくなったようで、理帆はエヘヘと笑った。

九時になった。

時間に正確であることを、誇るように電話が鳴った。

理帆もコール一回だけで、送受器を取り上げた。九時ぴったりにかかったので、尾形久彦からの電話であることはわかりきっている。理帆は、緊張した。

「もしもし、花房でございます」

理帆はいちおう用心して、相手が誰であってもいいような応じ方をした。

「出口と申しますが、理帆さんいらっしゃいますか」

男の声が、そう言った。

理帆には、尾形の声だとすぐにわかった。だが、尾形久彦には理帆の声だと、断ずる自信がなかったようである。

「わたしですけど……」

何となく滑稽《こっけい》になって、理帆は緊張感を半分ほど解いていた。

「そうだろうと思ったんだけど、念のために探りを入れてみたんだ」

尾形久彦の声も、笑いを含んでいる。

「そういう警戒心は、大いに必要でしょうね」

「だから、偽名も使った」

「大いに結構です。わたしが尾形さんと会ったり電話で喋ったりしていることがわかったら、父も母も激怒しますものね。父はそういうことを二度と許しませんし、母は気も狂わんばかりに悲しみます」

「それくらいのことは、おれにだって読めていますよ」

「尾形さんから電話がかかることは極秘にしなければならないし、ほかの誰にも知られないようにしてください。尾形さんとわたしだけの秘密だということは、絶対に守っていただきたいんです。そうじゃないと、わたし困るわ」

「承知しています。こっちだって最初から、そのつもりでいたんだ」

「今後も、もし連絡をくださるんだったら、出口という名前でお願いします」

「何があっても、出口で押し通す」

「でも偽名って、忘れることがあるんじゃないかしら」

「大丈夫です。おふくろの実家が出口姓なんで、忘れっこない」

「そうだったんですか」

「それより、おれがどうしてこの電話番号を知っているのかって、理帆さんは訊かないのかな」

「そんなこと、答えがわかっているもの。この電話番号は、電話帳に載っていますからね。五十音別のハローページで、調べたんでしょ」

「そのとおり。この番号と住所が、ちゃんとハローページに載っていた」

「ついでに住所を調べて、今日の午前十時半ごろに門の前に現われたのね」

「住所と道路マップで何とか見当をつけて、迷わずに花房邸の門前にたどりつくことができた」

「わたしが花房理帆でいることを、どうして知ったんですか」

「もう五年ぐらい前に富山で、理帆さんが花房ビルの社長の養女でいるってことを、小耳に挟んで承知していたんだ。ただ、そのころは上京する機会がめったになかったんで、話を聞くだけにとどまっていた。だから、理帆さんが花房家のお嬢さんだってことは、とっくに知っていたんですよ。富山では一時期だけにしろ、かなり有名な話にもなっていたしね」

「だけど最近は、上京する機会が多くなった。それで花房家の住所や電話番号を調べて、わたしに接近するための行動を起こしたんでしょ」

「接近だなんて……」

「目的は、何なんですか」

「目的とか下心とか、そんなものは持っちゃいない」

「でも何かなければ、わたしに近づいたりはしないはずです」

「あの小学生だった女の子がどんなふうに、大金持ちの令嬢へと脱皮したか見てみたい。そんな興味というか好奇心というか、何とも不思議な気持ちに駆られて、花房邸へ足を向けたにすぎないんだ」

「そうしたら、わたしが竹箒を持って出て来たのね」

「あのときは、理帆さんとの異常な縁というものを感じて、おれは胸が詰まったよ」

「尾形さんの職業を、知っておきたいわ」

理帆は、質問を一変させた。

「越興堂製薬の運送部に、勤務している。要するにトラックの運転手さ」

尾形久彦の声に、屈託はなかった。

2

越興堂製薬と聞いて、理帆はさすがに懐かしかった。

十歳になるまでの富山時代に何度となく、見たり聞いたりした会社なのである。富山市の中心地といえる繁華街の総曲輪通りや中央通りより、一・五キロほど南の花園町に越興堂製薬の社屋、工場、研究所などの建物があった。

ずいぶん大きな会社だと子ども心に感心したのを、遠い思い出として理帆は覚えている。越興堂製薬の各種製品は、もちろん越中富山の売薬で知られる薬品だった。

富山二代藩主の前田正甫《まさとし》が元禄のころ、江戸城中で急病に苦しむ大名に、所持していた『反魂丹』という薬を与えた。すると苦悶《くもん》していた大名が、立ちどころに元気を回復した。

これを見た諸大名は感嘆して、自分たちの国でも富山の薬を販売してくれるようにと申し出た。そのため富山の薬は一躍、全国的に知られるようになったという。

しかし、実際に富山商人が売薬の行商に諸国へ進出したのは、それ以前のことであった。その後も歴代藩主の保護と奨励を受け、富山の売薬は隆盛を極めた。

文政年間には反魂丹を中心とする売薬が、富山藩の生産品のトップを占めた。富山商人は全国に販路を拡《ひろ》げ、各家々に薬袋を置くという独特な掛売り制度を確立する。

明治以降は、常備薬として富山の薬袋を置かない家庭はないくらいだった。これは現代にまで継続しているし、ほかに新しい販路も開発された。だから現在もなお、富山の薬は衰退していない。

と、このような意味の話を、理帆は祖母から聞かされたことがあった。なるほど、いまも富山市は薬都とか薬の町とかいわれていると、少女時代に理帆は納得したのである。

富山市には、家庭薬の製薬会社が工場とともに数多くあった。広貫堂、池田屋といった有名な老舗も健在だった。そして、新しい研究施設を備えたりの規模の大きさでは、越興堂製薬が代表的な富山売薬の会社ということになる。

その越興堂製薬の運送部に、尾形久彦は勤務しているという。幌《ほろ》付きの中型トラックを運転して、関東甲信越の各営業所へ製品を運ぶのが、尾形久彦の仕事なのだそうである。高校を卒業してすぐに入社したというから、すでに勤続六年と計算していいのだろう。

だが、見習い期間があったらしい。尾形が一人前の運転手として専用のトラックを供与されたのは、三年前からという話だった。父親の悲劇に押し潰《つぶ》されて、尾形久彦も苦労したのに違いない。

「だけど昨日は、列車で上京したんでしょう」

理帆はもう、ブランデーを飲む気になれなかった。

「同僚が東京で、入院しちゃったんだよ。虫垂炎ってことだから、一週間は動きが取れない」

尾形久彦は、よそよそしい口のきき方をしなくなっていた。

「それであなたが救援に駆けつけたってことなの」

友人同士のような言葉遣いに、理帆も抵抗感は覚えなかった。

理帆と尾形は、昨日や今日の知り合いではない。一緒に遊ぶようなことはなかったが、それでも一種の幼馴染《おさななじ》みには違いない。同郷の誼《よし》みというものを、感じてもおかしくはなかった。

「そうなんだ。同僚のトラックは、東京の営業所に置きっぱなしになっている。とりあえず、おれがそのトラックに乗って、富山まで帰らなければならない」

「それで昨日は、列車で上京したってことなのね」

「十五分後には、出発するよ」

「えっ……。十五分後に出発して、富山へ帰っちゃうの」

「そのために、東京まで来たんだから仕方がないさ」

「それにしても、余裕がなさすぎるわ」

「お嬢さんにはわからないだろうけど、おれたちの仕事は時間との闘いみたいなもんでね。のんびりしていられない点が、何よりも厳しいんだ」

「仕事となれば何だろうと大変だって、わたしにだってわかるけど……」

「これでも今日は、ゆっくりできたほうさ。花房邸の場所を突きとめたし、病院に同僚の見舞にも行けたし、いまはこうやって長電話をしているし、今日一日は有意義に過ごせたってことになる」

「これから富山まで、ドライブするのね。考えただけでも、気が遠くなりそう」

「また、電話するよ。時間は夜の九時、名前は出口だ」

「気をつけてね」

「じゃあ……」

尾形久彦は、あっさり電話を切った。

「さよなら」

もはや相手には聞こえないと承知のうえで、理帆は別れの挨拶を電話に送り込んだ。

急に室内が静かになり、ひとり取り残されたような気分にさせられた。尾形は長電話と言ったが、理帆は電話が短すぎたようで物たりなかった。

理帆は、トラックで富山へ向かう尾形の姿を想像した。トラックが闇《やみ》の中へ遠ざかって行くのが、何ともいえずに寂しかった。いまの自分は尾形に対して特別な感情を抱いていると、理帆は他人事《ひとごと》のように冷めた思いで分析する。

尾形と自分は何かによって結ばれていると、理帆は溜め息をつきながら腕を組んだ。目に見えない運命の糸というが、それ以上のものによって尾形と理帆は互いに引き寄せられている。

不思議だと、理帆は『午睡』の絵を眺めやった。

尾形と理帆は、ただの幼馴染みといった間柄にはほど遠い。もっともっと、悲劇的な関係にある。二人のあいだには、十一年前の殺人事件が存在している。

理帆は、殺された人間の娘。

尾形は、殺した人間の息子。

本来ならば、結びつくことなどあり得ない立場に二人は置かれている。それにもかかわらず、理帆と尾形は過去の悲劇を忘れきっている。

殺人事件の被害者の娘と加害者の息子が、友だち同士のように話し合う。そのような例は理帆と尾形を除いて、この世にあり得ないのではないか。

殺人者の子どもに罪はないと、世間や第三者は正論を吐きたがる。しかし、被害者の遺族となると、そう簡単には割り切れない。道理はとにかく、感情が承知しないのだ。殺人者の妻や子どもまで、憎まずにはいられない。

復讐《ふくしゅう》は考えないにしろ、どうしても敵視することになる。憎悪の念を抱かずとも、顔を合わせるのは苦痛なはずである。被害者の娘が加害者の息子に感じるのは、敵意のみでなければならない。

「だけど、わたしは彼を少しも憎んでいない。敵意も、抱いていない」

理帆は、声に出してつぶやいた。

それはおそらく有坂尚彦という実父への情が、薄いせいだろう。理帆は実の父に、愛を感じていない。何らかの理由があって殺されたのだと、理帆は実父の死を初めから客観視していた。十一年前の殺人事件はすでに風化してしまい、実父のことは思い出の中にも残っていない。いまさら犯人を恨んだり、その家族を憎んだりする気にはなれなかった。

それに犯人の尾形一敏も、とっくに自殺している。尾形一敏は、自殺という形で罪を償ったのだ。そのことによって、事件も罪も消滅した。実父の敵《かたき》など、この世に存在していないのである。

いまの理帆には、敦夫に比呂子という両親がいる。花房理帆にとって十一年前の事件は、有坂尚彦という他人が殺されたのと変わらない。その有坂という他人を殺した犯人の息子が、尾形久彦なのであった。

もし世間が理帆と尾形を、被害者の娘と加害者の息子というふうに見るならば、それもまたいいだろうと思う。理帆と尾形は互いに、親の悲劇を背負わされたという共通点を持つ。

それが不思議と仲間意識を招き、二人のあいだには親近感が湧《わ》く。奇妙な連帯感を、覚えることになる。どんなことでも打ち明けられる幼馴染み、という気がしてくるのであった。

ただし、理帆と尾形の結びつきは、絶対に知られないようにしなければならない。秘密に徹して、誰にも気づかれないように細心の注意を払う。二人だけの最大にして、何よりも重要な秘密だった。

そうした秘めたる仲というのも、二人の気持ちをひとつにさせる。二人きりの世界を構築して、そこに立て籠《こも》るのであった。理帆と尾形は、ますます結びつきを密にすることだろう。

理帆は翌日から、尾形の声を聞くことを心待ちにした。

夜の九時には、自分の部屋で待機する理帆になっていた。

だが、一週間がすぎても、尾形からの電話はかからなかった。

十二月十二日の夜になって、花房家に阿佐見涼子が現われた。比呂子は友人の家に出かけていて、帰りが遅くなるということだった。敦夫は家にいたが、すぐに阿佐見涼子を迎えたりはしない。

お手伝いが、玄関から応接間までは引き受ける。しかし、その後の応対は、理帆が引き受けなければならない。たとえ七、八分でも、理帆には苦痛な時間であった。

「いらっしゃいませ」

理帆は、鼻を摘《つま》みたかった。

すでに不潔な生臭さが、応接間に充満しているような気がするのだ。ピンクのスーツを着た赤毛の女を、見るだけで目が汚れそうである。

「ああ、理帆さん」

涼子は、下品に華やかな笑顔となる。

「母が、留守をしておりますので……」

理帆のほうは、ニコリともしなかった。

「いきなり、お邪魔したんですもの。お留守だったとしても、それはもう覚悟のうえですわ」

気取った言葉遣いでそう応じながら、涼子はソファに腰をおろした。

「父は間もなく、お風呂から上がりますので……」

この女が列車内で知り合ったばかりの尾形久彦を誘惑したのだと、理帆は改めて思った。

猛烈に、腹が立つ。涼子は十万円か二十万円を小遣いとして進呈するから、ベッドをともにしようと、尾形を誘ったらしい。どこまで、いやらしい女なのだろうか。

恥知らずの淫乱女めがと、涼子の厚化粧に吐き気をもよおした。選《よ》りに選って尾形を情欲の生贄《いけにえ》にしようとしたことが、理帆には許せなかった。殺してやりたいと、理帆の憎悪が噴煙を上げる。

「理帆さん、あの件はどうなりましたでしょうか」

涼子は媚びるように、笑みを絶やさなかった。

「あの件って……」

わかっていて、理帆はとぼけた。

「間垣愁介の『午睡』です」

一瞬、涼子の目つきが鋭くなる。

「ああ、あの絵のことですか」

思いきって売ってしまったらどうだと敦夫の声が、あの絵を渡してしまえば阿佐見さんはあなたに会いたがらないわと比呂子の言葉が、理帆の頭の中に湧き起こった。

「やっぱり、ご遺品として手放すのは、おいやかしら」

涼子は言った。

「いいえ、それほどこだわるつもりはありません」

気を持たせて焦《じ》らすように、理帆はそう答えた。

「でしたら、是非とも譲っていただきたいんですけど……」

「まだ、手放してもいいと決心はついていません」

「そこを何とか、決めてくださらないかしら。早ければ早いほど、わたくしは助かるんですの」

「考えてみます」

「譲っていただくお値段も、もっと増やして構いません」

「いいえ、お金なんて必要ありませんから……」

「それは、そうでしょう。よく、承知しております。ですけど、お金というのはいくらあっても、困るもんじゃありませんわ。それに品物というものは、正当なお値段で売買されるべきでしょ」

「値段を吊り上げるために、売り渋っているわけではありませんから……」

「誰がそんなふうに、思うもんですか。理帆さんの純粋なお気持ちは、わたくしがいちばんよく知っております。ただね、その後になって、『午睡』には、もっと高い値が付くってことがわかったので、わたくしも正直に申し上げているんです」

「いずれにしても、よく考えてみることにします」

「先日は、三千五百万円でお譲りくださいって申し上げましたわね」

「ええ」

「それを五千万円ということに、訂正させていただきます」

「五千万円……！」

「お譲りくださるときは、五千万円をキャッシュでお支払いさせていただきます」

胸を張って、涼子はうなずいた。

「あの絵が、五千万円ですか」

理帆は何となくおかしくなって、感心しながら笑っていた。

応接間のドアが開かれて、和服姿の敦夫がはいって来た。これでお役ご免になったので、理帆は早々に逃げ出すことにした。理帆は一礼して、ドアへ向かった。途中で、敦夫とすれ違った。

「やあ、いらっしゃい」

「近くまで来たので、お寄りしました」

「間垣愁介の『午睡』、商談成立しましたか」

「まだ、お願いしている段階だわ」

そんな敦夫と涼子のやりとりを背中で聞いて、理帆は応接間を抜け出した。五千万円で『午睡』を売ろうかと、理帆はふと考えた。ほんの思いつきであって、決断を下したわけではない。

しかし、尾形と知り合ってから理帆は、あの絵に別れを告げるべきだという気になっていた。尾形と親しくなるならば、有坂尚彦の遺品を身近に置かないほうがいい。

壁の『午睡』を眺めながら、尾形からの電話を受けるのはどうかと思う。尾形と親密な仲になる以上、過去の余韻はすべて消し去らなければならない。

敦夫も比呂子も、『午睡』を涼子に譲り渡すことに賛成している。涼子に金儲けをさせたくないから五千万円で売ると吹っかけてやろうかと意地悪なことを考えたら、実際に涼子のほうから五千万円で譲ってくれと言って来た。

それも、天の声ではないのか。『午睡』を手放すように、という神の思し召《おぼ》しかもしれない。相手がこの世でいちばん嫌いな人間でも、縁を切るために『午睡』を売るのだと思えば、腹の立つことではなかろうと割り切れる。

今年は、あと二十日ぐらいしかない。新年を迎えてから、オーケーの返事をしてやろう。そのように、決めてもいいのではないか。理帆自身は『午睡』に何の未練もないのだから、売りますという答えさえ出せばあとは簡単なのだ。

理帆は応接間へ、二人分の紅茶を運んだ。ドアの外で足をとめて、ノブに手を伸ばす。だが、理帆はその手を引っ込めた。敦夫と涼子の声が、聞こえたからであった。

隙間が生じているとは、はっきり見えなかった。ただドアが、完全に閉じていない。キチッと噛《か》み合っていないところに、隙間ができているのである。

「別に本気になろうっていうんじゃなくて、ただのお遊びなんだから……。花房さんだって、浮気は嫌いじゃないでしょ」

「あなたを相手に浮気しようなんて、無理な注文だ」

涼子と敦夫のそうした声が、かなり鮮明にドアの外へ洩れてくる。とんでもない話を耳にしてしまったと、理帆は髪の毛が逆立ったような気持ちがした。

足がすくんで、歩けなかった。応接間の中へもはいれないし、立ち去ることもできない。盗み聴きをするつもりはないが、耳を封じない限り敦夫と涼子の声は理帆に聞こえてしまう。

「あくまで、肉体だけの関係だわ。セックスを楽しむのよ」

「それはあなたの勝手だし、現に男妾を二人も抱えているそうじゃないですか」

「あの二人は、浮気相手が見つからないときの予備だわ」

「恐れ入ったね、大した遊び人だ」

「ねえ、いいでしょ。後腐れはないし、秘密は保てるし、お金はかからないし……」

「亡くなったご主人の阿佐見君とは、古くからの親友同士だった。あの世にいる親友を、裏切るようなことはできませんね」

「わたくし主人が生きているときから、花房さんには興味がありました。一度、花房さんに抱かれてみたいって、いつも思っていたわ」

「今夜のあなたは、どうかしている」

「夢の中では、抱かれたことがありました。でも夢の中だと、どうしてもセックスまではいかないのね」

「そういう話は、もうやめましょう」

「だから約束して、ねえお願い。半月に一度でいいから、浮気の相手になってください。それだって、昼間の二時間でいいんです。わたくし、あなたが好きなの」

「無理な注文だ」

「野暮なことは言いたくありませんけど、わたくしに秘密を握られている花房社長としては、わたくしのお願いを聞いてくれていいはずよ」

涼子はついに敦夫にまで、肉欲の魔手を伸ばして来た。涼子は敦夫を誘惑し、脅迫してもいる。理帆は顔色を失い、鳥肌立っていた。震えがとまらないほど、理帆は怒り狂っている。理帆は胸のうちで、殺してやると叫んだ。

3

応接間のドアの前から、さっさと立ち去るべきだった。だが、理帆にはそれを躊躇《ちゆうちよ》する気持ちがあった。涼子への怒りのほかに、胸に引っかかるものが生じたのだ。

野暮なことは言いたくないが、わたしに秘密を握られている花房社長としては、わたしの願いを聞き入れてくれていいはずだ——と、阿佐見涼子は意味深長な言葉を口にしている。

浮気の相手になってくれなければ、秘密を守りきれないといったことを、それとなく匂わせているのである。これはやはり、一種の脅迫といえる。

しかし、理帆はそれよりも涼子に握られている敦夫の秘密というのが、ひどく気になったのだった。敦夫にはいったい、どのような秘密があるのだろうか。敦夫が涼子に握られている弱みとは、どんなことなのか。

理帆は、不安になっていた。敦夫は紳士であり、ダーティーな面を持たない事業家だと、理帆は信じきっている。それだけに理帆の心は、激しく揺れ動く。

敦夫の秘密というのを、理帆はどうしても知っておきたかった。それには敦夫と涼子のやりとりを、もっと聞かなければならない。理帆は再び、応接間のドアの隙間に耳を近づけた。

「秘密とは、何ですか」

敦夫は冷静でいるが、笑うほどの余裕はないようであった。

「あら、おとぼけね」

涼子のほうが、ケラケラと楽しそうに笑った。

「別に、とぼけてなんていませんよ」

敦夫の言葉つきが、やや固くなっている。

「わたくしいつだったか、前社長から大変なお話を伺って、敦夫さんに申し上げたじゃありませんか」

涼子は花房社長ではなくて、敦夫さんと馴《な》れ馴れしい呼び方に変えていた。

「前社長って、父のことですか」

「そんなことまで、とぼけなくたってよろしいでしょ」

「父があなたに何を言ったのか、そんな話は記憶していませんね」

「前社長は、こうおっしゃったわ。O代議士もM代議士も、まったく役に立たん。何のために毎年、盆暮れに一千万円ずつくれてやっていると思っているんだって……」

「それが、どうしたんです」

「つまり、贈賄《ぞうわい》ってこと」

「冗談じゃない。父がやっていたことは、政治献金でしょう」

「前社長のほうが、ずっと正直だわ。前社長は、あれは政治献金なんていうものじゃない、旧国鉄用地の払い下げに協力させるための工作資金だって、おっしゃっていましたけどね」

「たとえ贈賄だったとしても、もう時効になっている。それに父はすでにこの世の人じゃないし、ぼくにはいっさい関係ありませんよ」

「でもね、このことが公表されたら、たとえ時効になっていようと、いちおうマスコミは騒ぎ立てるわ。いまではO代議士は大臣の地位にあるし、M代議士も大物政治家ですもの。さぞかし、迷惑するでしょうね。花房ビルだって社会的信用を失うし、大変なイメージダウンだわ」

「あなたが週刊誌に、情報を提供するっていうんですか」

「商売を通じて、各誌の記者には大勢の知り合いがいますからね。わたくしのお願いを聞いてくださらないんだったら、情報を提供することにもなるでしょうね。女の一念って、恐ろしいのよ」

「まるで、脅迫だな」

「脅迫の材料なら、ほかにもありますのよ」

「どんなことですか」

「これは、花房ビルの社内情報をキャッチしたのよ」

「あなたには、スパイの才能があるんですかね」

「極秘事項だろうと、ちゃんとわたくしの耳にははいって来ますわ」

「その極秘事項とは……」

「敦夫さん、NSS株でかなりの損をなさったでしょ」

「誰がそんなことを、しゃべったんです」

「図星ね」

「怪《け》しからんな」

「敦夫さんはそのことを、奥さまにも内緒にしていらっしゃるでしょ。奥さまに対する秘密、これは重大ですわ」

「何年かすれば、損金は補塡《ほてん》できます。だから家内にも、黙っているんですよ」

「損をしたってことは、二の次なんです。奥さまが何よりも傷つくのは、ご主人に重大な問題を秘密にされるってことよ。わたくしこの一件を、奥さまのお耳に入れてもよろしいかしら」

「他人の家庭に波風を立てて、何がおもしろいんです」

「それが、わたくしの趣味なのかもしれないわ」

「趣味だなんて、いい加減にしてくれませんか」

敦夫は、怒ったような声になっていた。

「ただし、わたくしの愛人の秘密でしたら、徹底して守ります。ねえ敦夫さん、よろしいでしょう。半月に一度、二時間だけわたくしの愛人になってくだされば、何事も起きませんのよ」

涼子は勝ち誇ったように、けたたましく笑った。

敦夫は、黙っている。

もはやこれまでと、理帆は思った。これ以上、敦夫を窮地に追いやってはならない。敦夫が苦しまぎれに白旗を掲げて、涼子の要求を受け入れてしまう恐れがある。

それに涼子が『敦夫さん』と呼ぶことに、理帆は耐えられなくなっていた。敦夫の秘密をバラすと脅して、肉欲の相手を務めるように求めている。

これまでに蓄積されていた涼子への嫌悪感と憎しみが、一気に爆発してしまいそうな気がするのである。

今夜にでも涼子を殺してやりたいと、理帆の心をパンクさせるほど殺意が膨脹する。それを防止するためにも、敦夫と涼子のいる舞台に幕をおろさなければならない。

敦夫に助け船を出すというより、理帆が邪魔にはいるのだった。敦夫と涼子の話を、中断させる。そのうえで、涼子を追い返すのであった。

理帆はノックもしないで、いきなり応接間の扉を押し開いた。

敦夫は、ソファにすわっている。

その背後に立っていた涼子が、さりげなくソファから離れる。

理帆はゆっくりと足を進めて、ガラス張りの大きなテーブルに近づく。テーブルのうえにティーポット、ティーカップ、砂糖の容器を置く。

「あの絵、お売りします」

敦夫と向かい合うソファに、理帆は尻を据えた。

「理帆さん、『午睡』を売ってくださるんですか!」

頭のてっぺんから出るような涼子の甲高い声が、あたりの空気を震わせた。

「五千万円で、お譲りします」

理帆はティーカップに、レモンの薄片を添えた。

「ほんとに……!」

信じられないという涼子の顔つきは、取引が成立したときの商売人にはほど遠かった。相手を疑いながら、だらしなく口もとが綻《ほころ》んでいる。事業家としての厳しさが微塵《みじん》もなく、これで儲かるという卑しさが感じられる。

「いつでも現金五千万円と引き替えに、あの絵をお渡しします」

理帆は二つのティーカップに、紅茶を注いだ。

まだ紅茶はぬるくなっておらず、ティーカップから湯気が立ちのぼった。その湯気の向こうに理帆は、あっけにとられている敦夫の顔を見た。

「嬉しいわ、理帆さん」

涼子はソファに、腰をおろそうともしなかった。

「紅茶を、どうぞ……」

理帆は、無表情であった。

「いいえ、こうなったらとても、のんびりしてはいられないわ。落ち着いてはいられないって気持ちなんで、わたくしこれで失礼します」

興奮しているのか涼子は、鼻の頭に汗をかいていた。

「でしたら、玄関までお送りします」

理帆は、立ち上がった。

涼子は敦夫と、そそくさと挨拶を交わした。すでに敦夫のことなど、眼中にないような涼子であった。涼子は足を早めて、応接間のドアへ向かう。腰を浮かせた敦夫を押しとどめて、理帆は涼子のあとを追った。

「じゃあ、ほんとにお願いしますね。約束したんですものね」

玄関で靴をはいてから、涼子はそう念を押した。

「どうも、失礼いたしました」

出て行く涼子を、理帆は見送った。

ドアがしまると同時に理帆は、アカンベーをするように舌を出した。『午睡』を売ると言われればじっとしていられなくなる、という涼子追い出し作戦はみごとに功を奏したのである。

しかし、それで理帆の嫌悪感が、少しでも薄れるということにはならなかった。それどころか、涼子への憎しみに激しい怒りが加わった。三階の自分の部屋に閉じこもって、理帆は考え込んだ。

これで、問題が解決したわけではない。『午睡』を手にいれたからといって、涼子との縁が切れることにはならないのだ。これからも、涼子の花房家への出入りは続くのであった。

そして今後も涼子は繰り返し、敦夫を誘惑することだろう。

敦夫がそれを拒否すれば、涼子は秘密をバラすと脅しをかける。

実際に敦夫が秘密にしていることを、涼子は比呂子に告げ口する恐れもある。株で大損したことはともかく、比呂子は夫の隠し事というものに対して怒るに違いない。敦夫と比呂子は、喧嘩《けんか》をするだろう。

比呂子は傷つき、不幸になる。

もしかすると敦夫は面倒臭くなって、涼子の誘惑に乗ってしまうかもしれない。

それは理帆にとっても、絶対に我慢のならないことであった。

比呂子が気づけば、いっそう不幸になる。離婚話も持ち上がるだろうし、ここは悲劇の家となるのである。敦夫さんと呼びかける厚かましい淫乱女は、まさしく好色な悪魔と変わらなかった。

この世で最も嫌いな女に、どうして家の中を引っかき回されなければならないのか。不潔極まりない脂肪の塊りに、敦夫や比呂子を不幸にする権利があるのだろうか。

憎むべき女、許せない女、蛇蝎《だかつ》のごとく忌み嫌われるというヘビやサソリの何百倍も嫌悪する涼子と、なぜ接触を持たなければいけないのか。

花房家は涼子と、絶縁する必要がある。それが不可能ならば、涼子を永久に追放することだった。この世から涼子を、消してしまえばいい。

殺してやりたい、という願望ではなくなっていた。

殺そうという意志が、固まりつつあるのだ。

明確な殺意が暗雲となって、理帆の胸のうちに広がっている。理帆の頭の中は、完全犯罪を目ざす思考で占められていた。あんな女と、心中したくはない。理帆が犯人として逮捕されるならば、あそこまで下劣な女を殺す意味がない。

涼子を殺したうえで、理帆は無事でいなければならないのだ。涼子を抹殺するのが、目的であった。だが、完全犯罪に成功しなければ、ほんとうに目的を果たしたことにはならないのである。

「わたしには、阿佐見涼子を殺す表向きの動機がない」

理帆は、独り言を口にした。

生理的に嫌悪している、不潔感に耐えられない、いやらしさが我慢ならない、厚かましさを憎悪する、限りない淫楽志向に怒りを覚える、家の中に害毒を持ち込む。

こういったことは、殺人の動機と見なされない。観念的すぎて、現実性がともなわないためだった。それに、このような心理は第三者に理解できないし、結局は動機という形をなさないからである。

つまり理帆には、涼子を殺す動機がないということになる。

あとは、アリバイであった。

これは何者かに死体を遠くまで運ばせることで、何とかなるだろう。たとえば理帆は東京にいて、それを証明する人間が大勢いる。ところが、そのころ涼子の死体が群馬県あたりで発見される。

理帆は一歩も、東京を離れていない。それだけでも理帆は、事件に無関係とされるだろう。

理帆の周辺には、共犯者になり得る人間などひとりも見つからない。

理帆と涼子殺害を結びつけるものは、まったく存在しない。事件との関連性がないとなれば、それは同時に完璧《かんぺき》なアリバイの役目も果たす。

動機がなくてアリバイがあって、事件との関連性が認められない。そうなれば、完全犯罪は成立する。

では、透明人間のような共犯者に、誰を引っ張り込むのか。彼なら絶対に大丈夫と、理帆には直感が働いていた。理帆と接触があることを、知る者はひとりもいない男であった。

尾形久彦――。

尾形久彦と理帆が親密な仲になるとは、この世に思いつく人間もいないはずである。なにしろ、殺人事件の加害者の息子と被害者の娘なのだ。

世間の常識からすれば、互いに最も敬遠し合う男と女だった。そういう尾形久彦と理帆が二人だけの世界を持っているなどとは、人間の想像力の限界を超えることといえるだろう。

電話が鳴った。

4

理帆は驚いて、わっと声を上げていた。一生懸命に殺人計画を練っていて、ほかのことは何も頭になかった。そんなときに突如として電話が鳴ると、息がとまりそうになるものである。

理帆は、時計を見た。

九時であった。

理帆は、微笑を浮かべた。目の前が急に、明るくなったような気がした。胸に温かみが生じて、なぜか心臓のあたりがキュンと痛んだ。

「出口さんですか」

理帆のほうから、偽名を持ち出した。

「そうです」

尾形久彦の声も、笑いを含んでいた。

「ずいぶん待たせてくれたのね、久彦さんたら……」

理帆は極《ご》く自然に甘えていて、それが初めて『久彦さん』と呼ばせたようである。

「待たせたって、何をだい」

尾形久彦にはほんとうに、意味が通じないようであった。

「電話に、決まっているでしょ。一週間以上も、待たされちゃったわ」

「お嬢さんと違って、毎日おれは忙しいんですよ」

「どんなに忙しくても、五日に一度ぐらいは電話をくれなきゃ駄目」

「恋人みたいなことを言うなよ」

「だって、わたしたちもう半分は恋人でしょ」

「うおっ、大胆」

「何が、大胆なの」

「お嬢さんにしては、積極的だっていう意味さ」

「でも、わたし久彦さんが半分は恋人っていう気がして、仕方がないわ」

「勝手に、決めないでくれ」

「あら、いけないかしら」

「相手の意思も、尊重しろっていうことだ」

「久彦さん、恋人いるの」

「そんなもの、いませんよ。ただのガールフレンドだったら、何人かいるけど……」

「久彦さん、わたしのこと嫌い？」

「好きだよ」

「だったら、問題ないわ。半分は恋人同士だって、構わないじゃないの」

「まあ、いいさ」

「いま、どこにいらっしゃるの」

「千葉市だ」

「だけど千葉だったら、目と鼻の先だわ」

「だけど明日の朝、富山へ向かわなければならない」

「じゃあ、会えないのね」

「ちょっと、無理だな」

「いつ、会えるの」

「さあ……」

「お会いしたいわ。わたし、どうしてもお会いしたいの。ただ会うだけじゃなくて、相談したいことと、久彦さんにお願いしたいこともあるの」

「何だか、おっかないな」

「そう、怖いお話よ」

「十二月二十四日と二十五日に、休暇をもらえることになっているけど……」

「十日以上も先のことね。でもクリスマスイブと、クリスマスだわ」

「そうなんだ」

「そのとき、東京までいらしてくださらないかしら」

「難しいな、経済的事情っていうものがあるんでね」

「だったら、わたしのほうから行きます」

「行きますって、どこへくるんだい」

「富山へは行きたくないし、人目につくでしょ」

「おれの顔を、知っている人間が多いことは確かだ」

「久彦さんとわたしの仲は、極秘にしておきたいの」

「こっちも、そう願いたいね」

「新潟は、どうかしら」

「うん。新潟だったら、経済的事情も許してくれるだろう。新潟には知り合いも、ほとんどいないしね」

「わたしも、新潟って初めてなの。だけど新潟にホテル・オークラがあるってことは、友だちから聞いて知っている。わたし、オークラホテル新潟のスイートルームを予約しておきますから……」

「スイートルームとは豪勢だな。やっぱり花房家のお嬢さんは違うね」

「十二月二十四日の午後五時に、そのスイートルームで落ち合いましょう」

「でもさ、そこに一泊することになるんじゃないの」

尾形久彦は、怪訝そうな口調になっていた。

「そうよ」

理帆はいま自分が重大な決断を下すために、震えがとまらなくなるような緊張感を覚えていた。

「いいのかな」

尾形久彦の声が、何となく不安そうに聞こえた。

「別に、気にするようなことじゃないでしょ」

どう強がってみても、理帆の動悸《どうき》が通常のリズムに戻るはずはなかった。

「理帆さんって、見かけによらず遊び人なのかな」

尾形久彦は、首をひねっているような気配であった。

「そんなことないわ」

遊び人という言葉に、理帆は顔がカッと熱くなった。

「じゃあ、十二月二十四日に新潟で、会うということにして……」

どことなく気まずさを伝えて、尾形久彦は電話を切りたがっていた。

「約束は、ちゃんと守ってください」

理帆は、軽く目を閉じていた。

わが身を犠牲にすると、そこまで大袈裟には考えない。しかし、涼子を殺す計画の第一段階として、理帆は尾形久彦と肉体的に結ばれなければならないのだ。

理帆は、尾形に好意的である。尾形のことが、好きなのかもしれない。尾形に対して、女としての気持ちが弾んでいることは確かであった。それが理帆にとって、唯一の救いということになるのだろう。

十二月十七日になった。

阿佐見涼子が、花房家に現われた。この夜の涼子は、理帆の客だった。涼子はテーブルのうえに、五つの札束を並べた。ひとつが一千万円ずつに、まとめられている札束であった。

涼子はすぐに、間垣愁介の『午睡』を壁からはずした。用意して来た箱に、涼子は額縁ごと絵を納める。その箱を更に布で包んで、厳重にヒモを掛ける。

「どうも、ありがとうございます」

涼子の嬉しそうな顔が、デレデレになっている。

「どういたしまして……」

理帆は、馬鹿丁寧に頭を下げる。

涼子はさっさと、理帆の部屋を出ていった。壁が広くなって、間の抜けた感じだった。だが『午睡』という絵に、未練はなかった。むしろ余計なものを整理したようで、気持ちが清々した。

窓から覗くと、涼子の車が門を出て行くところであった。これで、涼子との縁が切れる。今度会うときの涼子には、死が待っているのだと、理帆は嘲《あざけ》けるような笑いを浮かべた。涼子に関してのみだが、理帆は鬼のように冷酷になれる。

そういう自分が、恐ろしくなることもある。しかし、理帆はすぐに、首を振って思い直す。誰にでもこの世にはひとりぐらい、どうしても殺さずにいられない人間がいるものだ、と理帆はみずからを納得させるのであった。涼子が死んだあとの世界は、空気まで清らかになるに違いない。

オークラホテル新潟のスイートルームは、予約ずみだった。クリスマスイブに岩手県へ帰った親友から招待されているので、一泊旅行に出かけると嘘をついて比呂子の諒解《りようかい》も得ていた。あとは、十二月二十四日を待つだけであった。一日千秋の思いというが、一週間が一カ月の長さに感じられた。二十三日の夜になって、理帆は支度に取りかかった。

大型のボストンバッグに、まず現金五千万円を詰め込んだ。そのうえに下着類、着替え、洗面具などを重ねる。着ていくものとして、黒のスーツと真っ赤なコートを選んだ。

十二月二十四日になった。

理帆は東京駅から、上越新幹線に乗り込んだ。十三時八分発の『あさひ』で、グリーン車は三分の一が空席であった。理帆の隣りの席にも、乗客はいない。

理帆は、尾形久彦から聞いた話を思い出した。

涼子に誘惑された日、尾形は富山から列車で上京した。彼は、自由席に乗っていた。だが、上越新幹線の車中で缶ビールが欲しくなり、車内販売のワゴンを追いかけることになった。グリーン車で、車内販売のワゴンに追いついた。女の客が、缶ビールを買っているところだった。尾形久彦も、缶ビールを買い求めた。

車内販売のワゴンが移動を始めたとたん、缶ビールを手にした女が、尾形に声をかけて来た。グリーン車はガラガラにすいていて、ほかの乗客には聞こえなかった。

「あなた、おひとりですの」

女は、尾形を見上げた。

「ええ」

尾形は、気味の悪いおばさんだと思った。

「でしたら、ここにおすわりになりません？ お酒を飲むには、相手がいないと寂しいですもの」

隣り合わせの席を、女が示した。

「そうですか」

荷物のない尾形は、気軽に応じた。

女は通りかかった車掌に、尾形のグリーン車への変更を伝え、不足の料金まで払ってくれた。そうなると東京まで、付き合うほかはない。二人は缶ビールを、三本ずつ飲むことになった。

やがてトロンとした目つきで、女は尾形をじっと見つめるようになった。そのうえ、刺激的で淫猥《いんわい》な言葉を、しきりと口にする。そのときの涼子はもう、東京についたら尾形をベッドに誘う気になっていたのだ。

ザマーミロと、理帆は口の中でつぶやく。誘惑に応じなかった男の子も手伝って、あの世へ送られるなどと涼子は夢にも思っていないのである。

上毛高原を通過したころから、青空が見えなくなった。雲が厚くなり、霧がかかったように山々がぼやけてくる。新潟県へはいると、雪が降っていた。

長岡あたりから、大した積雪ではなくなった。降りしきるぼたん雪の割りには、地上に残らないようだった。十五時九分に、雪に彩られた新潟についた。雪の降る街となっている中都市の美しさが、クリスマスイブにふさわしいという印象を受けた。

新潟駅前から、タクシーに乗る。ホテルまで、そう遠くなかった。大通りを走り、信濃川に架かった万代橋を渡ると、すぐにオークラホテル新潟である。

理帆は、十二階のスイートルームへ案内された。廊下の突き当たりの右側で、窓からＮＴＴのレーダーのような赤いアンテナが見えた。リビングは落ち着いた色調で、家具調度品もどこか古風だった。

奥の寝室も、クラシックな雰囲気であった。窓から雪景色を眺めていると、飽きることがなかった。東京とは、別世界である。遠くへ来たという旅愁を感じて、理帆は理帆でなくなっていた。

午後五時十分前に、ドアがノックされた。ドアをあけると、尾形久彦が立っていた。今日の尾形は紺色のスーツを着て、ネクタイをしめている。コートを抱えているが、荷物は持っていない。

二人は、黙っていた。理帆が一歩退《ひ》いて、部屋の中へはいるように手つきですすめた。尾形は照れ臭そうな顔で、リビングの中央へ足を進める。

理帆は、ドアを閉じた。これでリビングと寝室は、完全なる密室となった。ここで何が起きても、自分たちの責任である。そうと承知で男を引き入れたのだから仕方がないと、理帆は観念しつつも全身が硬直して動かなかった。

しかし、このままいつまでも、突っ立っているわけにはいかない。理帆は顔を伏せて、尾形久彦に近づいた。膝がガクガクして、よろけそうになる。

何とかたどりついて、理帆は尾形の胸にすがった。大変な勇気を必要としたが、どうにでもなれと理帆は開き直っていた。いまのわたしは本物の理帆ではないと、自分に言い聞かせる。

「こんなことをしていいのかい」

尾形はコートを、ソファのうえへ投げた。

理帆は、黙ってうなずいた。

「おれのおやじは、理帆さんの実の父親を殺している。おれたちは、そういう関係なんだぞ」

尾形は戸惑い気味に、左右の手を理帆の肩に置いた。

「何もかも、わたしの知らないことだわ。もう忘れてしまったし、いっさいこだわりを持っていないのよ」

理帆は思いきって、身体を尾形に押しつけた。

「おれもあんまり、こだわっていないけど……」

尾形は両腕を滑らせて、理帆の背中に回した。

「好きよ」

理帆は目をつぶって、尾形の唇を待つように顔を上げた。

「おれもだ」

尾形は強い力で、理帆を抱きしめた。

第三章　殺人計画

1

尾形の唇が、そっと触れた。

そのまま、重ねてくる。理帆は、唇を結んだままでいた。尾形の舌の先が、動いているように感じられた。理帆の唇を、舐《な》めているわけではなかった。

尾形の舌はどうやら、理帆の唇のあいだに割り込もうとしているらしい。どう対応すべきか、理帆は戸惑っていた。理帆はすでに、冷静さを失っている。初めて体験することは、強烈なショックを与える。理帆の頭にも、血がのぼっていた。どのように唇を開けばいいのかと、そんな判断が下せるはずもない。

心臓が痛むほど、動悸が速くなっている。理帆の身体のどこかが、高熱を発したように震えていた。尾形の舌を迎え入れるべきだと、理帆は思う。迎え入れたい、という欲望もあった。だが、それでいて唇を開くのが、不安なのである。尾形の舌を、拒んでいるのではない。みっともない開き方をして、恥をかくのが恐ろしいのだ。ふっと、尾形の舌が消えた。彼の唇も、遠のいたようである。尾形が、顔を離したのに違いない。理帆は顔を見られたくなくて、尾形の胸にすがりついた。

「キスするの、初めてかい」

尾形の声が、かすれていた。

「うん」

理帆は、全身でうなずいた。

「マジ、初めて?」

尾形は、理帆の髪に指を滑らせる。

「ごめんなさい」

「謝ることはないさ」

「がっかりした?」

「いや……」

「いまどき、そんな女がいるのかって思っているんでしょ」

「そんなことはない」

「二十をすぎているっていうのに、馬鹿みたいね」

「きみは、正真正銘の処女だってことなんだ」

「キスだって、初めてなんだから……」

「そう聞くと、確かに奇跡だっていう気がしないでもないけど、見方を変えれば別に不思議じゃないんだよ」

「どう見方を変えるの」

「きみは、本物のお嬢さんだってことさ。やっぱり、本物の上流階級のお嬢さんには、結婚するまで処女でいようとする女性がいるんだ。上流階級じゃなくたって、親がしっかりしていたり、それなりに知性と教養があったりの家庭だと、処女は決して珍しくないって聞いたことがある」

「でも、いまは中学生の女の子にも、セックスのベテランがいるって時代なんでしょ」

「そんなの、一部の中学生だろう。それこそ、知性も教養もない不潔なガキさ。そういうまともじゃない連中を、見習う必要なんてないんだ」

「わたし、ボーイフレンドだって、ひとりもいなかったわ」

「親が厳しかったか、家庭教育が行き届いていたかだろう」

「それが、そうでもないのよ。無断外泊と、無断で夜遅く帰ることを、禁じられていたくらいだわ。あとは自分に誇りを持て、名誉というものを大事にしなさい。後悔するようなことをやる人間は利口じゃない、人間らしく女らしく生きなさい、自分勝手ってことに甘えるな、とは父や母からよく言われたけど……」

「やっぱり、知性と教養だな。それに、上品で清潔だ」

「知り合いは全部、女の友だちなの。高校は女子校だったから、男の子と口をきいたこともなかったわ。大学では男子学生と日常会話だけで、プライベートなことでは話し込んでもいないの」

「オクテなのかな」

「わたし自身はオクテだなんて、思ったことも感じたこともないわ」

「じゃあ、男嫌いなんだ」

「男嫌いだっていう噂を立てられたり、冷やかされたりしたけど、自分ではピンとこなかったみたい。男の人は誰だろうと敬遠するなんて、そんな気持ちは更々ないしね。父のことだって大好きだし、現にあなたという男性を好きになっているでしょ」

「そうなると、これまで好きになるような男が、きみの前に現われなかったってことだ。要するに、光栄にもこのおれが初めて、好きになった男ってわけなんだ」

「光栄だなんて、茶化さないで」

「ごめん、もっと厳粛な気持ちになるべきだな」

尾形は改めて、力強く理帆を抱きしめた。

「ねえ、ちゃんとキスの仕方を教えてください」

理帆は、囁《ささや》くような声で言った。

「教えたり、教えられたりするもんじゃないよ」

尾形は、理帆の顎《あご》に手をかけた。

「でも……」

理帆は再び、目を閉じて顔を上げた。

「気を楽にして、あとは本能に任せるんだよ」

尾形は、唇を触れ合わせた。

最初のときに比べれば、今度はそれほどアガらない理帆になっていた。いくらか気分も楽になっていたし、進んで唇を開こうとする理帆の意思も働いている。

ただ緊張感は、解けていない。そのためか理帆の全身は、ぎこちなく硬直した。理帆は、恐る恐る唇を開く。尾形の舌が、滑り込んで来た。

舌と舌が触れることになったが、それから先どうしていいのかがまたわからない。理帆は受け身でいて、されるがままになっているほかはなかった。

尾形の舌が、動いている。理帆の舌も、何となくそれに応じていた。舌が絡み合い、口の中で躍っている。生まれて初めて感じるものが、理帆の身体を熱くさせた。

息が苦しくなり、理帆はもがいた。このままでは、窒息してしまう。尾形は平気のようだが、理帆には耐えられなかった。理帆は、顔を引こうとした。

「息をとめないで、鼻で呼吸すればいいんだ」

唇を触れ合わせたままで、尾形がそう言った。

その尾形の言葉に、理帆は無我夢中で従った。理帆は、息をとめないように努める。鼻での呼吸に、すぐ慣れっこになる。もう、息苦しさは感じない。

代わりに、不思議な感覚が生じていた。電流のように身体のあちこちへ、熱いものが走るのだ。陶酔するような気分にさせられて、理帆は初めて性的に興奮している自分を感じていた。

甘美な感覚が、肉体の芯に湧き上がる。本能に任せるといっても、理帆はそれに抵抗感を覚える。これが性感というものに違いないと、意識するからだった。

甘美な性感をこのままにしておくと、自分がどうかなってしまいそうである。それが怖くて、理帆は腰を引くような格好になっていた。

全身の力が、抜けきっていた。軟体動物のように、クニャクニャになっているという気がした。特に下半身を支えることができず、足もとまで定まらなくなっていた。

立っていられそうになく、理帆は尾形にしがみつく。尾形も理帆に体重をあずけられていることを感じたらしく、舌を抜き取って唇を離した。

理帆は尾形の腕の中で、激しく喘《あえ》ぎながらぐったりとなった。理帆の顔は、上気していた。特に目のまわりが、ピンク色に染まっている。

尾形は理帆を抱きしめたまま、倒れこむようにソファにすわった。理帆もソファに崩れ落ちて、尾形と並んで腰を沈めた。理帆はまだ、尾形に抱きついている。

目を開かずにいるのは、恥ずかしかったからである。それに、陶酔感の余韻も残っている。息の乱れがなかなか整わないのも、恥じらいの理由となる。

「どう、ご感想は……」

尾形は、理帆の背中を撫《な》で回した。

「素敵だったわ」

尾形の肩に顔を押しつけて、理帆は正直に答えた。

「それは、きみが大きく前進したってことだ」

尾形の手が理帆の尻まで滑っていった。

とたんにビクッと、理帆の身体が小さく痙攣《けいれん》する。

「いやだわ」

理帆は好色な自分を感じて、思わずそのようにつぶやいた。

「何が……」

尾形には、意味が通じなかったようである。

「何でもないの」

理帆は、吐息した。

「だけどさ、おれのほうには気になることがあるんだ」

尾形の語調が、いくぶん変わったようだった。

「気になることって……?」

理帆は、尾形の肩から顔を浮かせた。

「まさか、このホテルの部屋は今夜きみとおれが結ばれるためだけに、用意されたんじゃないだろうってことさ」

尾形は、タバコを取り出した。

「急に話が、難しくなるのね」

上体を起こして、理帆は目をあけた。

「きみは相談したいことがあるから、おれに会いたいと言った」

尾形は、ケントに火をつけた。

「そのとおりよ」

いつまでも甘い気分でいられないと、理帆は心を引き締めていた。

「その相談っていうのを、先に片付けようじゃないか。どうもそっちのほうが、おれたちのラブシーンより大事だって感じがするんでね」

「あら、ラブシーンだって、とても大事なのよ」

「そうかな。ラブシーンは、付けたしじゃないのか」

「付けたし……」

「つまり、色仕掛けでおれにウンと言わせようっていうんじゃないのかと、勘ぐりたくなるのさ」

「ひどいわ、色仕掛けだなんて……」

「まあ、色仕掛けで男を承知させるなんてのは、海千山千のあばずれ女がやることだな。処女にはとても無理だって、わかってはいるんだけど……」

「好きでもない男の人だったら、触られるだけでも耐えられないわ」

「そうだろうね」

「わたしは、あなたと結ばれたいの。一心同体になれば、誰よりも頼もしい協力者、最高のパートナー、いちばん強力な味方でしょ。今夜ここで愛し合うことによって、あなたに最高の協力者、パートナー、そして味方になってもらいたかったの」

「きみの処女と肉体は、代償じゃないってことだ」

「代償っていうふうには、考えてもみなかったわ。報酬だったら、ちゃんと用意して来たけど……」

「報酬って、おれに何かくれるつもりなのかい」

　尾形の顔には、笑いがなかった。

「そう」

理帆は立っていって、大型のボストンバッグを開いた。下着類、着替え、洗面具などの旅行用品を取り出して、理帆はボストンバッグを尾形の足もとへ運んだ。尾形は、ボストンバッグの中を覗き込んだ。

そこには、五個の札束が並べられていた。その札束はどれも、一千万円をひとつにまとめたものと、ひと目で計算できる。それを尾形は凝視していた。

「現金で、五千万円か」

尾形は間もなく、理帆へ視線を転じた。

「報酬がいけなかったら、クリスマス・プレゼントってことにするわ」

理帆は笑おうとして、途中でやめた。

尾形の目つきが鋭いし、表情も固かったからである。

「いくら金持ちのお嬢さんだろうと、簡単に銀行から引き出せる金額じゃない。それに、きみにそんな口座や預金があるとは思えないな」

「絵を売ったの」

「きみは、五千万もの値打ちがある絵を持っていたのか」

「有坂尚彦から、むかしもらったものなのよ。それが間垣愁介という昭和初期の印象派の天才といわれた画家の作品ってことで、最近では高い値がつくんですって。それでどうしても欲しいっていう人に、五千万円で売ったの」

「おれによこすために、大金が必要だったのかい」

「ええ。でも、それだけじゃなかったわ。たとえ実の父の遺品だろうと、有坂尚彦からもらった絵を花房家に飾っておくのはまずいでしょ」

「わかった。金の出所は、そういうことで信じよう。だけど、五千万円をそっくりおれによこして、いったいどうしようっていうんだい」

「あなただって、お金は必要だろうと思って……」

「そりゃあ、大いに必要さ。おれは、貧しい人間だ。食べてはいけるけど、生活の余裕なんてこれっぽっちもない。だから、おれなんかはいつだって、まとまった金を欲しがっている口だよ」

「じゃあ、五千万円だったら不足だっていうの」

「そうじゃない。おれが知りたいのは五千万円もよこして、おれに何をさせようと企《たくら》んでいるのかってことだ」

尾形は、眉をひそめていた。

報酬として示されたのが、五千万円の現金であった。これは冗談や遊びではないと、誰であろうと緊張する。真剣になるのは、当然のことといえた。

相手が金持ちの令嬢だけに、いっそう不安である。しかも理帆は殺された男の娘、尾形は殺した男の息子という特殊な事情にあればこそ、只事《ただごと》でないという気持ちにさせられる。

理帆が何を考えているのかわからない点も、尾形には気味が悪いのだろう。理帆は何か、恐ろしいことを企んでいる。その企みに引っ張り込まれることを、尾形はまず警戒するに違いない。

「企みか。そうね、企みってことになるでしょうね」

理帆にしても、落ち着いていられる心境にはなかった。

車に乗っていってくれ、というような頼みとは違うのだ。協力を求めるほうにしても、恐怖を感じないといえば嘘になる。そして重大な秘密を、打ち明けるわけである。もし、それを尾形に拒絶されたらどうしようと、理帆としては最悪の場合も考えておかなければならない。

「さあ、聞かせてもらおうか」

尾形は灰皿へ、自然に火が消えたタバコを投げ入れた。

「いいわ」

理帆は、覚悟を決めた。

しかし、いざとなると何かが詰まったように、簡単には言葉が出てこない。喉《のど》が渇いて、胸の中にまで重いものが広がっている。理帆は冷蔵庫から、缶ビールと、ミネラルウオーターを取り出した。

理帆には、食欲などあるはずがない。尾形にしても空腹であろうと、いま何かを食べる気にはなれないと思う。それで理帆は、食事のルームサービスを頼まなかった。しばらくは、水分しか喉を通らない。

理帆は黙って、缶ビールを尾形に渡した。待っていたように、尾形はそれを受け取った。コップに移したミネラルウオーターに、理帆は口を近づけた。

「完全犯罪よ」

そう言ってから理帆は、ミネラルウオーターを飲んだ。

尾形が、理帆のほうを見やった。理帆がこぼした言葉の意味を、尾形はじっと考えているようだった。尾形がさほど驚かなかったのは、ある程度の予想がついていたせいかもしれない。

「完全犯罪……」

尾形はビールを、喉へ流し込んだ。

それっきり、尾形は口をきかなくなった。尾形は考えるようにして、ゆっくりとビールを飲む。缶ビールが完全に空っぽになるまで、尾形は沈黙を続けていた。

「ねえ、お願い。あなたの力を、どうしても借りたいの」

理帆は妙に冷静になっていて、窓外の夜空の雪を眺めやった。

「完全犯罪というのは、要するに殺人ってことだろう」

尾形は、声の張りを失っていた。

「そうね」

理帆はなぜか、人を殺すことの恐ろしさを感じなかった。

「意外だよ、きみが人殺しを企んでいるなんて……」

「ねえ、力を貸してくれるでしょ」

「きみは、人を殺すってことが怖くないのかい」

「普通だったら、怖いでしょうね。想像しただけでも恐ろしくて、とても人なんて殺せないわ。でも、今度は平気なの」

「どうしてだ」

「殺されて、当たり前な人間だからだわ。それに、わたしその人間を殺したくて殺したくて、どうしようもないのよ」

「まったく、恐ろしいことを平気で言うよ」

「でもね、あなたの協力がなければ、実行には移せないわ」

「なぜ、おれの協力が必要なんだ。そんなことの手伝いは、誰だっていいはずだろう。五千万円も出せば、引き受けるやつだっているかもしれない」

「それが、違うの。あなたでなければ、駄目なんです。あなたに協力してもらって、初めて完全犯罪が可能になるんだわ」

「どうしてなんだ」

「あなたとわたしが結びついていることを知る人間は、この世にひとりもいないのよ。それに加えて、殺人事件の加害者の息子と被害者の娘が協力し合うなんて、誰が想像するかしら」

「敵同士みたいなおれたちなんだから、そんな話を聞かされたって信ずる者はいないだろうな」

尾形は、立ち上がった。

「そうでしょ。あなたとわたしが共犯だなんて、絶対にあり得ないことなのよ。それで表裏一体であっても、あなたとわたしは決して結びつかないわ。だからこそ、完全犯罪が成り立つんです」

殺人を思い立った犯罪者の凶悪な人相にほど遠く、理帆は童話でも読んで聞かせるようにやさしい顔つきでいた。

2

嫌いな相手とは、口をきこうともしない。

仲の悪い二人は、会いたがらない。

過去にまずいことがあれば、両者は互いに遠ざかろうとする。

憎み合う男と女は、恋愛も結婚もすることがない。

仇敵同士が、力を合わせることはない。

こういう簡単な論理であり、世間の目や人間の判断は必ずそれに従う。そのために殺された男の娘と殺した男の息子を、誰もが結びつけては考えないということになる。

双方ともに父親の立場を考えれば、永遠の絶縁こそふさわしい。その娘と息子が成人してから結ばれるといったことは、現実に起こり得ないのだ。

そんなことがあろうものなら、まず世間の口が許さない。一般の人々も常識を重んずるがゆえに、そうした男女を白い目で見る。有形無形の非難と迫害を受けるのが、日本の社会というものだろう。

「自分の父親を殺した男の息子と、どうしてあんな関係になれるんだろう」

「むかしの武家の娘ならば、敵討をしなければならない相手だ」

「自分の祖先も、神仏も恐れていないのだろう」

「倫理、道徳にも反する」

「毎日のように、父親が殺されたことを思い出すのではないか」

「男のほうも、厚かましい。あれで父親の罪を、償っているつもりなのか」

「男は一生、女に頭が上がらない。なぜ、選りに選ってそんな相手と、結ばれなければならない」

「仏壇に手を合わせたとき、どんな思いで拝むのか」

「人間のやることではない」

このような世の中の声が集まるのは、ほかに例のないことだからである。つまり前例がないことはあり得ないのであって、誰もが思いつきもしない設定ということになる。

尾形と理帆のあいだに接点があるなどと、おもしろ半分に想像してみる人間さえ絶対に存在しない。尾形と理帆の身近の者にしろ、夢にも思わないことなのだ。

そのうえ、二人が接触をもっていることも、知っている人間はいない。花房邸の門の前で、二人が言葉を交わしているところを、目撃した者はいなかった。

二度目が、この新潟での密会であった。あとは電話だけで、それも盗聴されるような心配はない。尾形と理帆の関係は、完璧に極秘となっている。

世間から見れば尾形と理帆は、赤の他人よりも更に数百倍も無縁の人間ということになる。その尾形と理帆が実は共犯者として、協力し合っていたことを見破れる能力を、人類は持ち合わせていないのである。

尾形と理帆の共犯ということが発覚しない限り、警察の捜査は進展しない。必ず迷宮入りとなって捜査打ち切りと、いまからでも断言できる。

二人の犯行は永久に、わからずじまいになる。これぞ完全犯罪の見本と、いえるものではないか。したがって、尾形の協力がどうしても必要なのである――。

以上のように、理帆は説明した。長円形のテーブルのまわりを、尾形は歩き続けている。歩きながら尾形は鼻を摘んだり、タクトを振るように手を動かしたりしていた。

「きみは、誰を殺したいんだ」

尾形は立ちどまって、テレビのリモコンを手にした。

「協力するっていうあなたの答えもないうちに、そんなこと言えっこないでしょ」

理帆は、コップに手を伸ばした。

「協力するなんて、口先だけならいくらでも言える」

尾形はテレビをつけて、一瞬にして消した。

「あなたが約束してくれたら、わたしはそれを信ずるわ」

冷たくなっているコップの水が、理帆にはほろ苦いように感じられた。

「絶対にバレない完全犯罪なら、何もしないのと変わらない」

尾形は、肩をすくめた。

「だから、あなたが必要なの。完全犯罪にするには、あなたの協力が大前提になるんですものね」

冷蔵庫から抜き取った缶ビールを、理帆は尾形の胸のあたりに狙いをつけて投げた。

「何もしなかったのと同じなら、人殺しも恐ろしくないってことか」

尾形は片手で、缶ビールを受けとめた。

「ねえ、返事を聞かせて……」

「五千万円を、見捨てるのも惜しい」

「焦っちゃうわ」

「おれの役目としては、どういうことを引き受けるんだ」

「いちばん重要な仕事は、死体を遠くまで運んでもらうことだわ」

「遠くって、どこだ」

「車を飛ばして十時間以上かかるところだったら、どこでもいいの」

「そんなに遠くまで、死体を運ぶ目的は何かな」

「わたしのアリバイを、完璧なものにするためだわ。万が一、わたしに疑いがかかっても東京から十時間以上もかかる遠方まで、わたしが行くことは不可能だったというアリバイよ。もちろん、わたしが東京を一歩も離れていないってことを証明してくれる第三者を、何人か用意するつもりでいるわ」

「共犯者がいて、死体を運んだのだろうって警察は判断する」

「だけど、いくら捜してもわたしの共犯者になり得る人は、ひとりも見つかりません。あなたのことは、絶対に浮かび上がらないんですもの」

「まあ、そのことはそれでいいだろう。ところで実行犯は、きみが引き受けるってことなのか」

「実行犯って……」

「殺す役目さ」

「いちおう、そのつもりではいるわ。彼女はわたしに対してはまったく無警戒、油断しきっているからやりやすいと思うの。ただ問題は、あの肥満体ね」

「殺す方法は……」

「血を見たら、わたし、気絶するでしょうから、毒殺か絞殺だわ。でもねえ、あの太い首だから……」

「きみがどうしても殺さずにいられないっていうのは、あのエロおばさんだったのか」

尾形は立ったままで、ビールの缶の底を天井へ向けた。

「えっ……」

尾形のほうを見ないようにして、理帆は窓際へ足を運んだ。

「きみは、彼女という言い方をした。つまり、標的は首が太い肥満体の女ってことになる。きみは花房家の門の前で、あのエロおばさんの外見や特徴や服装について実に詳しく述べていた。そのときのきみの顔は、すごみを感じさせるほど険しかった。不快感とか嫌悪感とかを通り越して、怒りと憎しみの色を隠しきれなかった。いまになって思うと、あれは殺意の表われだったんだな」

尾形久彦は、理帆の背後に立った。

「あっさり、見抜かれたのね」

雪の降る夜景を、理帆は見渡した。

照明や灯の数は、おそらく平常と変わりないのだろう。しかし、それが雪の中の夜景となると、夢幻的に一変する。雪という舞台装置はいっそう華やかな夜景になりながら、ロマンチックに寂しい歌を聞かせるように感じられる。

路上も真っ白になっていて、徐行する車が列をなしている。歩道には、通行者の傘が少なかった。クリスマスイブの雰囲気ではなく、雪の降る街という印象を受ける。

「あのエロおばさん、確か阿佐見っていったよな」

「あら、名前を知っていたの」

「新幹線の中で、名乗ったもの。阿佐見と申します。阿佐ヶ谷の阿佐に、ものを見るの見の字を書くのよって……」

「阿佐見涼子、涼子は涼しいっていう字だわ」

「どうしてあの阿佐見涼子を、殺さずにはいられないんだ」

「それが、とても複雑なの。あの女が死んだからって、わたしには何の得にもならないんですものね」

「利益のない殺人か。それに痴情怨恨《えんこん》が、絡むような殺人でもない」

「よく、わからないでしょ」

「うん」

「わたしにだって、常識を前面に押し出されたら説明のしようがなくなるわ」

「何だか、お嬢さんのお遊びみたいな殺人だな」

「お遊びなんかじゃない」

「もっともっと切羽詰まった理由があって、殺人に追い込まれるっていうのが一般的な人殺しだ」

「わたしも、切羽詰まっているわ」

「そうかな」

尾形はミニバーでウイスキーの水割りを作っていた。

「人間は、感情の動物でしょ。感情ひとつで人生が変わる場合だってあるし、感情が人殺しをさせることもあるわ」

理帆は、向き直った。

「そりゃそうだ。喧嘩ばかりじゃなくて、カーッとなってやってしまったという殺人事件はいくらでもある。そういうのはみんな、感情に支配されての殺人さ。だけど、それはどれもカッとなっての衝動殺人だろう。ところが、きみは計画殺人を企んでいる」

尾形は、ソファに戻った。

「憎悪という感情が、どうしてもあの女を許せない。それだったら、計画的に殺そうとすることだってあるでしょ」

理帆はまたしても、解説者とならなければならない必要に迫られた。

まずは、阿佐見涼子に対する生理的な嫌悪感である。これは、理屈抜きだった。何が理由なのか、理帆自身にも判然としていない。まるで天の声にそそのかされるように、理帆は涼子を嫌悪する。

次に涼子の不潔感が、どうにも我慢ならなかった。淫乱で不潔な行為も当然、理帆は嫌悪する。そういう涼子が花房家に出入りしていることを、理帆は顔に汚物を押しつけられるように感じていた。

涼子は、商売人であった。それも、下品な商人である。金儲けとなると、目の色を変える。利益を得るためには、執念深くて狡猾《こうかつ》だった。

その一方で、淫行を繰り返している。若い男を、金で買っていた。そのほかにも好みの男がいれば、ベッドへ誘うことを常習している。

そしてついに涼子は、花房敦夫にまで触手を伸ばした。涼子は浮気の相手になってくれと、花房敦夫を口説いたのであった。敦夫がそれを拒むと、株でかなりの損金を出していることをバラすと涼子は脅した。

そうしたことを一括して、理帆は怒りの対象とするのである。理帆の感情は、あの女を絶対に許せないと煮えたぎっていた。理帆の中で涼子は、不倶戴天の敵のような存在になりきっている。

涼子を、心底から憎悪している。

涼子と同じ空気を吸っていることも、そう思うだけで耐えられない。

理帆にとって涼子は、蛇蝎と変わらなかった。

涼子をこの世から追放して、二度と現われないように抹殺してしまいたい。

何としてでも、涼子を殺さなければならない。それができないのであれば、理帆のほうが姿を消すしかないのだ。

「なるほどね」

理帆の話が終わると、尾形は水割りのコップを卓上に置いた。

「きっと久彦さんにも、理解できないでしょうね。あまりにも、ひとりよがりな感情だから……」

理帆は尾形と向かい合って、アームチェアに腰を下ろした。

「いや、わかるような気がするよ」

尾形はやや自堕落な格好で、ソファの背にもたれた。

「少しは、共鳴してくれるのね」

尾形が酔っていなければいいがと、理帆はちょっぴり心配だった。

「それで、具体的な計画はどうなっている。いつ、決行するんだ」

尾形は口から、タバコの煙りの大きな輪を吐き出した。

「一月十八日を、予定しているの」

タバコを吸う男は煙りで輪を作るのが好きなのかと、理帆はふと敦夫のことを思い出していた。

来年の一月十八日、いまから二十五日後のことである。この日は、敦夫の誕生日であった。毎年、誕生パーティーを自宅で催して、敦夫の親しい男女を五十人ほど招待することになっていた。

招待客の中には、阿佐見涼子も含まれている。パーティーは、午後六時からだった。涼子は正装するために、必ず画廊から自宅へ戻ることになっていた。

涼子の自宅は、高輪《たかなわ》の伊皿子《いさらこ》にある。亡き夫の遺産の一部で、建物は古いが敷地もそう狭くない邸宅だった。涼子はここに、ひとりで住んでいる。

月、水、金と家政婦が通ってくるが、一月十八日は火曜日であった。涼子は、番犬を飼うこともなかった。こんな古ぼけたボロ家には、不用心もへったくれもないというのが涼子の口癖である。

この日、理帆は午後五時まで、大学で時間をつぶす。五時を待って、涼子の自宅に電話をかける。百パーセント、涼子が電話に出るはずだった。

「これから高輪まで行きますんで、お宅にお寄りします。わが家まで、社長さんの車に便乗させてください」

理帆は電話で、このように伝える。

涼子は相手が理帆であれば、用心も警戒もない。むしろ、涼子は喜ぶだろう。理帆は、涼子の自宅へ急ぐ。地下鉄を利用するから、五時半には阿佐見邸につく。

このころには、尾形も、登場しなければならない。

邸宅にはいると、左手にガレージがある。ガレージには、涼子の車が納まっている。あたりは常緑樹に囲まれているし、門の外や隣家への距離もあった。

涼子は車に乗るために、ガレージへはいらなければならない。そのガレージの中こそが、犯行に最適の場所と思われる。理帆はそこで、涼子を殺害する。

尾形は門内に車を乗り入れて、ガレージ付近で待機している。犯行が終了すると同時に、尾形は涼子の死体を自分の車へ運ぶ。死体をトランクルームに詰め込んで、尾形は車を発進させる。

尾形の車は、東京をあとにする。尾形の車の行き先は初め、群馬県など関東地方でもいいと考えたが、やはり東京から十時間以上かかる遠方がベストだろう。

十時間以上かけてどこへ行くか、また涼子の死体をどう始末するかは尾形の裁量に任せる。もし死体が見つかっても、理帆と結びつきようのない場所なら構わないわけである。

一方、理帆は阿佐見邸から真っ直ぐに、元麻布三丁目のわが家に帰宅する。そろそろ招待客の顔もそろって、パーティーが始まろうという時間である。

それから夜おそくまで、理帆は五十人ほどの客の目の前にいることになる。五分以上、姿を消すことはない。涼子が欠席しても、何か急用ができたのだろうと、気にかける者もいない。

まして涼子の欠席と理帆にかかわりありと、推理する人間がどこの世界にいるだろうか。

理帆には、完璧なアリバイが成立する。そのうえ理帆には、涼子を殺す動機らしい動機がない。

尾形という共犯者がいたとは、世の中全体が思いも及ばない。花房家の令嬢がまさか人殺しを、という先入観も理帆を守る巨大な城壁となる。

その結果、尾形久彦に対しても、警察や世間の関心は、まったく向けられないことになる。

尾形久彦は理帆にも涼子にも、まるで縁のない別世界の人間なのだ。

「これで完全犯罪になるはずなんだけど、いかがかしら」

何もかも尾形に打ち明けたせいか、理帆の気持ちはすっかり楽になっていた。

「きみは、おれのおふくろのことを、記憶しているかい」

尾形が、唐突に言った。

「えっ……」

理帆は、面喰《めんく》らった。

殺人計画とはまったく無関係なことに、尾形がいきなり話題を変えたからであった。それは尾形が涼子殺しに協力したくないということかと、理帆は心配になった。

「おやじが有坂さんを殺したとき、おふくろは三十七だった」

天井を見上げて、尾形は顎の先を撫で回した。

「覚えていますす。奈津江さんっていうお名前だって、忘れていないくらいですもの」

そのころの富山市愛宕町では評判の美人だったと、理帆は十一年前の少女の世界を振り返ってみた。

奈津江には何度か会っているが、通りで見かける程度で口をきいたこともない。奈津江の容姿にしても、鮮明には記憶に焼き付いていなかった。

ただ、富山市愛宕町の界隈《かいわい》でトップクラスの美人だったという印象は、いつまでも消え失せていない。確か日本美人なのにどこかバタ臭くて、チャーミングな容貌をしていたと思う。セミロングの髪がよく似合って、何を着てもスタイルがよかった。奈津江が通りを歩いていると、次から次へと立ち話をしている女房の注目を集めることになる。

それればかりか町内の女房たちは、奈津江のほうを見ながら決まってヒソヒソ話を始める。美人の奈津江に反感を持ってか、どうも悪口を言っているようだった。

「お母さまのことが、どうかしたの」

理帆は、尾形の顔を見守った。

「いや。何でもない。それより、手を打つことにしよう。五千万円、受け取るよ」

尾形は、計画に協力することを申し出た。

しかし、なぜ尾形が不意に母親のことを口にしたのかと、理帆には引っかかるものがあった。

3

二人がベッドにはいったのは、十二時をすぎてからであった。

食事はホテルの十五階にあるレストランで、新潟の市街地の雪の夜景を眺めながらすませた。

雪の夜景は、悲しくなるほどロマンチックだった。

いま自分がどこにいるのか、理帆にはわからなくなりそうである。国名も地名もなくて、地図にも載っていない外国へ来ているような気がした。

理帆は、何も食べられなかった。胸がいっぱいだし、自分白身に胃袋があるようにも思えなかった。理帆は、ワインだけを飲んだ。だが、理帆には酔い心地も訪れない。

尾形のほうは、対照的に食欲旺盛であった。料理は、何ひとつ残さなかった。もったいないからと尾形は、理帆の料理にも手をつけた。

「どうしたんだ。この期《ご》に及んで、元気がないじゃないか」

尾形はワインも、ボトル一本を空にしていた。

「元気がないわけじゃないの」

理帆は、力なく首を振った。

「何も食べたがらないのは、元気がない証拠だ」

尾形は、怒ったような顔でいた。

「この夜景よ。これに比べると、自分があまりにも薄汚れているって感じがして、悲しくなっちゃったの」

理帆は実際に、うっすらと涙を浮かべていた。

「こういう美しい景色に比べたら、人間なんて薄汚れていて当然だよ」

「でも、美しさと醜さに、極端な差があるでしょ」

「景色は、生きていない。人間は、生きている。生きる、生活するっていうのは、薄汚れることだろう」

「いくら、薄汚れるからって……。人殺しまで、考えるんですものね」

「きみには、まだ迷いがあるんだな」

「迷い……？」

「阿佐見涼子殺しを、実行していいものかどうかっていう迷いだ」

「いいえ、迷ってなんかいません。あの毒虫みたいな女と接しなければならない人生なんて、わたしにはとても耐えられないんですもの」

「確かに、口ではそう言っているけど、きみには迷いが感じられる」

「そんなことないわ。あの女がこの世から消えるか、わたしが狂乱の人生を過ごすかなんだからって、もう心が決まっているのよ。そのために、完全犯罪もちゃんと計画しているんだし……」

「だけど、少しでも躊躇するような気持ちがあるんだったら、いますぐに計画を中止すべきだ」

「中止しないわ」

「迷いがあったら必ず、殺人計画は失敗に終わるだろうからね」

「大丈夫よ」

「失敗したら、殺人未遂の現行犯できみは逮捕される」

「あなたのほうに、迷いがあるんじゃないかしら」

「失敗するような殺人計画なら、おれは降りるよ。五千万円がパーになるのは惜しいけど、手を引いたほうが利口だ」

「計画は絶対に、中止しません。さっき話したとおり、実行します」

「だったら、もっと楽しそうにすべきだろう。もりもり食べたり、じゃんじゃん飲んだりして……」

「ただね、花房の父や母のことを考えると、胸が詰まるの。わたしが人を殺すなんて、夢にも考えてはいないだろうって……。そう思いながら、この美しい景色を見ていたら悲しくなっちゃったのよ」

「完全犯罪は、永久に発覚しない。発覚しなければ、何もやらなかったのと同じなんだろう。

きみは、殺人者じゃない。だったら何も花房夫妻に、申し訳ないって胸が痛むこともないだろう」

「そんな理屈じゃないのよ」

「しかし、重大な決心をするときは、すべて割り切ることが必要だ」

「じゃあ、割り切るわ」

理帆は、声を小さくした。

不安を呼ぶような人間の存在を、理帆は直感したからであった。さっきから気になっていたのだが、間違いなく別の席より理帆へ視線が向けられている。

「ホテルのバーで、景気よく飲んだらどうだ」

尾形はナプキンで、丁寧に口のまわりをふいた。

理帆はさりげなく、自分に届いている視線を逆にたどった。だが、他人の視線というのは、はっきり見えるものではない。理帆と向かい合った位置にいる人間を、見当によって捜すほかはない。

さほど遠くないテーブルに、男の姿があった。その男とのあいだに二つの席があるが、どちらも使われていなかった。理帆と男を遮《さえぎ》る客は、ひとりもいないということになるのだ。

やや斜めになるが、男の顔は理帆のほうへ向けられている。何度か理帆に視線を投げかけた人間は、どうもその男のようであった。確証はないが、ほかにそれらしい客がいないのだ。

男は、ひとりだった。

サングラスをかけている。夜だというのに、ホテルのレストランでサングラスを用いるのはおかしい。

サングラスのおかげで、男の目の動きが見えない。

年齢も、判然としなかった。二十代か三十代の初めと、察しをつけるしかない。ワイシャツは白、スーツは黒、ネクタイは赤系統である。

坊主頭と変わらないほど、髪の毛を短く刈り込んでいる。

堅気の男と、どこか雰囲気が違う。暴力団の中幹部を、連想させる。そうでなければ、やくざを装った刑事かもしれない。

男はレストランへ、食事に来たのではなさそうである。テーブルのうえには、ティーカップだけが置いてあった。

男は理帆たちよりも、遅れて来た客であるようだった。したがって、男は食後の紅茶を飲んでいるわけではない。料理は省略して、紅茶のみを注文したのだ。

夜の九時に近いというのに、レストランへ紅茶を飲みにくるだろうか。そんな見方をすると、得体の知れない不気味な人物に思えてくる。

しかし、刑事というのは、いくら何でも考えすぎであった。

理帆が新潟へ来ていることを、知る者はいないのである。それに理帆はまだ、犯罪者にもなっていない。刑事が東京から、尾行してくる理由がなかった。

ふと男が、横を向いた。

男の左の横顔が、理帆の目に映じた。顔の側面に、線が走っている。耳の高さから、顎にまで達している。よくは見えないが、傷跡に違いなかった。

顔の傷としては、目立ちすぎるくらいだった。おそらく切り傷の跡だろう。斬りつけなければ、できない傷跡であった。刃物で顔に斬りつけられたとなると、やはり暴力団関係者である。

やくざの知り合いはいないと、理帆はかえってホッとした。理帆にとって、かかわりのない人間といえる。男はたまたま誰かに似ているとかで、何度も理帆に視線を走らせたのではないか。

男が、立ち上がる。理帆に背を向けて、大股《おおまた》に歩き出す。振り返ることもなく、長身の男の後ろ姿は遠ざかっていく。気にする必要もない相手だったと、理帆は思わず溜め息をついた。

「何を、ぼんやりしているんだ」

尾形が、苦笑を漂わせた。

尾形にとっては背後に位置する席なので、顔に傷のある男にはまるで気づいていないのだ。

「お部屋で飲んだほうが、安全じゃないのかな」

理帆の胸からはまだ、誰かに見られるという不安が消えていなかった。

「いや、バーで飲みたいんだ」

尾形は多少、ワインの酔いが回っているようだった。

「わたしとあなたが一緒だってこと、ホテルのフロントにも知られていないのよ。このレストランへくるまで、一歩もお部屋を出なかったし……」

「よく、わかっているよ。おれたちは、別の世界に住む無縁の人間同士でいなければならないんだろう」

「わたしたちのあいだに接点があるってことは、この世の誰にも知られないようにしないとね」

「きみは、神経質になりすぎている」

「ホテルっていうのは、とんでもないところで偶然、知っている人と鉢合わせをすることが珍しくないのよ」

「気にしすぎだよ」

「完全犯罪を目ざすんだったら、それくらい用心深くしないと……」

「だけど、もうこうしてレストランへ、来てしまっているんだからね」

「わたしがあれだけ反対したのに、どうしてもレストランで食事するってあなたが聞かないんですもの」

「部屋でコソコソ食事するのが、惨《みじ》めに思えたんだ。今夜のおれたちには、ムードってものが必要だしね」

「二人が一緒のところを、見られたくなかったから……」

「おれたちを知らない相手だったら、いくら見られたって構わないだろう。クリスマスイブ、雪降る新潟のホテル、ディナーの時間も遅くなってのレストランなんだ。そこで知っている人間と、出会うなんて偶然はありっこないさ」

「そんなこと、断言できないわ」

「現に知っている相手とは、廊下でもエレベーターの中でもこのレストランでも、鉢合わせしなかっただろう」

「鉢合わせはしなくても、このレストランのどこかに知っている人がいたかもしれないわよ。こっちは気づいていないけど、向こうは気がついていたっていうのが……」

「そんなこと、あり得ない」

「気がついていて声をかけてこないっていう人が、いちばん厄介なんだから……」

「逆だね。声をかけられて、こっちが返事をしてしまったら、そこで出会ったということはもう否定できない。だけど、相手が一方的に見たっていうのであれば、そんなところにいなかったから人違いでしょうって否定できる」

「とにかく、人目につかないようにしなければね」

「レストランで食事したんだから、バーに寄ったって同じじゃないのかな」

「そんなことないわ」

「じゃあ、こうしよう。バーに大勢の客がいたら部屋に帰る。バーがすいていたら寄ることにする」

尾形は、腰を浮かせた。

「困ったわね」

理帆は、肩を落としていた。

尾形の希望していることを、あくまで拒否するという勇気はない。気を悪くした尾形に、へソを曲げられては困るのだ。それに理帆には、尾形に嫌われたくないという強い思いがある。レストランでの食事についても結局、理帆のほうが折れた形で応じたのであった。バーに寄る寄らないということでも、妥協するほかはないだろう。

理帆も、少し酔ってやろうという気になった。理帆は、ひどく緊張している。尾形と一緒のところを見られたくないという気遣いも、その理由のひとつになっていた。

殺人計画に関して話し合った直後であり、犯罪者となることへの恐怖を生々しく感じる。そのことも理帆から、明るさと食欲を奪っている。

しかし、それだけではない。今夜、尾形に抱かれるということも、理帆の頭から離れずにいるのである。初めてセックスを経験するとなれば、緊張しないほうがおかしい。そのこともやはり、理帆に食べる元気を与えなかった。

それらの問題点はすべて、アルコールによって解消できるのではないか。アルコールの力で気が大きくなれば、緊張感も緩和する。特に尾形と愛し合うためには、もっと大胆になったほうがいい。

二人は、ホテルのメイン・バーを覗いてみた。客は、三人しかいなかった。それも、四十代の女ばかりであった。名士夫人を気取る人妻らしく、ざあます言葉を使う。ただし、アクセントが東京弁と違っていた。

当然のことだが、見も知らない女たちだった。向こうも、理帆や尾形に関心を示さない。理帆と尾形は、カウンターに席を定めた。尾形はブランデーを、理帆はカクテルを頼んだ。

理帆は何度も、バーの入口に目をやった。新たにはいってくる客というのを、どうしても意識してしまうのだ。万が一にも、理帆と親しい人間が、ここに出現するとは思えない。

だが、さっきレストランにいたサングラスの男が、バーにはいってくる可能性は十分にある。理帆は、それも恐れていたのだ。あのサングラスの男はどこか妙だ、という疑念を捨てきれないのであった。

酔っぱらっては困るが、適度に酔いたかった。理帆はあまり時間をかけずに、一杯目のカクテルを飲み干した。意地が悪いというか、酔い心地を自覚できなかった。

「あなたお部屋で、お母さまの話をしたでしょ」

理帆は、二杯目のカクテルを注文した。

「そうだったっけな」

尾形は、ケントに火をつけた。

「あなたのお父さまが有坂を殺したとき、お母さまは三十七だったとか……」

理帆は、尾形の横顔を見守った。

「ああ、そんなことを言ったみたいだな。別に、意味はないけど……」

尾形は、肩をすくめた。

「意味はないっていうけど、お母さまの話をしたかったんじゃないの」

理帆は、尾形の腕を揺すった。

「そんなつもりじゃなくて、おふくろのことが口から出ちゃったんだよ」

尾形は、暗い眼差しになっていた。

「わたし、お母さまの話を聞きたいわ」

「なぜ……」

「なぜって、具体的な理由はないけど……。お母さまがチャーミングな美人だったって、記憶にあるせいかしら」

「おれは、陰気な話が嫌いでね」

「陰気な話……?」

「そう。それにもう過去のことなんだから、思い出したって仕方がないだろう」

「お母さまのことを話すと、陰気になっちゃうっていうの」

「まあ誰だって、陽気にはならないと思うよ」

「お母さま、お亡くなりになったのね」

「もう、前のことさ」

「どのくらい前に、お亡くなりになったのかしら」

「例の事件があって、一年後かな。約一年後と、いうべきだろうね」

「じゃあ、あなたが中学二年になったばかりのときね」

「うん」

「病気で、亡くなったの」

「おふくろが死んだときは、まだ三十八だった」

「だから……？」

「病死するには、若すぎるだろう」

「病気で亡くなったんじゃないって、だったら……」

「しかも、おふくろは日本一、不幸な女になっていた。そう言えば、どうして死んだか察しがつくだろう」

「自殺なの」

「まあ、自殺だな」

「まあ自殺って、どういう意味なの」

「ただの自殺とは、ちょっと違うってことだ」

「どう、違うの」

「おふくろは、無理心中を図った」

「誰と……」

「おれとのに、決まっているじゃないか」

「あなたと、無理心中……！」

「青酸化合物入りのジュースを、おれに無理やり飲ませようとした。ところが、中学二年のおれのほうが、体力がおふくろより勝っていた。それで、おれはおふくろを突き飛ばした。ジュースのコップは、廊下まで飛んでいったよ」

「それで、お母さまはどうなったの」

「自分だけ、青酸化合物入りのジュースを飲んだ。おれの目の前で、おふくろは悶死した。つまり無理心中には失敗したけど、おふくろは自殺したってわけさ」

尾形は無表情で、ウイスキーの水割りを飲んでいる。

「そうだったんですか」

理帆は、うな垂れた。

陰気な思い出話、暗い告白というより、悲劇そのものだった。父親は人を殺して逮捕され、警察のトイレで青酸化合物入りのカプセルを嚥下して自殺を遂げた。

それから一年後に母親は、同じ青酸化合物を使ってひとり息子との無理心中を図る。息子は逃げて助かったが、母親はその場で死亡した。

悲惨な運命、とでもいうべきだろう。尾形家の親子三人はそれぞれ、類のないような悲劇を経験しているのだ。理帆には尾形に同情するだけで、口にすべき言葉が見つからなかった。

部屋に戻ったのは、十一時ごろであった。理帆は、風呂にはいった。これも尾形に抱かれるための準備だと思えば、どうしても長風呂になる。

身体の隅々まで、丁寧に洗う。これが処女である最後なのだと、湯の中で自分の裸身を眺めやったりする。シャワーで流すのにも、時間をかけずにはいられない。

理帆は新品の下着をつけ、白いバスローブをまとって浴室を出る。寝室はベッドライトを残して、すべての照明が消してあった。暑いくらいに、暖房が利いている。

尾形が代わって、バスルームを使う。セミダブル幅のベッドの一方に、理帆は身体を横たえた。間もなく尾形がバスタオルを腰に巻いただけの姿で現われた。

尾形は、理帆のベッドに腰をおろす。尾形は、徐々に上体を倒して、理帆のうえに裸体を重ねる。尾形は、理帆の唇と舌を吸った。初めてのキスと比べると、ひどく挑発的で激しかった。

時間は、十二時をすぎていた。

4

どういうことをされるかは、実際に経験していなくてもわかっている。処女であっても、理帆は二十一歳になっているのだ。友人たちからセックスの講義を、受ける機会も少なくない。映画でも何度となく、過激な性交シーンを見ている。ポルノチックな小説や雑誌の記事を読むことがあった。そうしたことから、かなり具体的に性行為の推移について、理帆は承知していた。

したがって何をされようと、驚いたりあわてたりすることはない。

ただ驚異だったのは理帆自身が、異常に興奮するということである。これは、想像も及ばなかった。心臓が破裂しそうに激しく鳴っていることも、意識にないほど理帆は無我夢中になっていた。

われを忘れる、という状態であった。このように乱れるのは、やはり自分の性欲のせいだろうかと、いやらしく感じられるくらいだった。

頭の中がカッと熱くなって、何が何だかよくわからない。夢心地といった上品な気分ではなく、やたらと興奮して半ば狂っているのかもしれない。

理帆の耳、首筋、鎖骨、胸のあちこちへと唇と舌を滑らせる。そうしながら尾形は、理帆のバスローブを脱がせにかかる。理帆は、逆らわない。

素直に応じて、脱がせやすいように身体を浮かせたりする。それも計算のうえに立っているのではなく、理帆の手足が自然に動くのであった。

バスローブは完全に、剝《は》ぎ取られていた。シーツの上には出血に備えて、二枚のバスタオルが重ねて置いてある。更にそのうえに、バスローブを広げたという格好になっていた。

薄暗がりの中に、理帆の真っ白な裸身が浮かび上がる。尾形の唇が軽く、理帆の乳首を挟んだ。

「あっ……」

理帆の身体が、痙攣するような動き方をする。

尾形は唇で挟んで吸いながら、舌を乳首の側面に沿って回転させる。生まれて初めての感覚が、ジーンと湧き上がってくる。その感覚がジワジワと伝わって、下腹部を熱くさせるような気がした。

「ああ……」

理帆は、小さくのけぞった。

弱々しくはあるが、どうしても声が出てしまう。喘ぎも、激しくなっている。快美感とまではいかないが、性感を刺激されているという意識が理帆にはあった。

尾形は次いで、理帆のパンティーを脱がせる作業に移っていた。最終的には脱がなければならないものと、理帆も十分に承知している。

だが、さすがにこの作業を、助けようとする勇気はなかった。抵抗したりはしないが、本能的に膝と太腿を合わせようとする理帆になっていた。

尾形の唇と舌は、理帆の腹部を下降した。そうすることで尾形の両手は、パンティーを脱がすのに使いやすくなる。尾形の両手は簡単にパンティーを引きおろし、理帆の足首から抜き取った。

同時に尾形の唇と舌は、理帆の下腹部の茂みに到達した。

そういう前戯があることも、理帆は知っている。しかし、ここで初めて理帆の羞恥心《しゅうちしん》が、強く働いたようだった。理帆は反射的に、横向きになろうとする。

しかし、尾形の力がそれを許すはずがなく、理帆の腰はしっかりと固定された。それほど濃くないことが、清潔感にもなっている理帆の下腹部のヘアと、尾形の鼻や口が戯《たわむ》れていた。

「電気、消して……」

理帆は、譫言《うわごと》のように口走る。

尾形がそれに、応じたかどうかはわからない。もともと、隣りのベッドライトが淡い光りを放っているのにすぎない。寝室全体は、薄暗いのである。

それに理帆は目を閉じているので、闇の中にいるのと変わらない。理帆の羞恥心が電気を消すように頼んだだけで、結果はどうでもよかったのだ。

ただし、理帆の身体は硬直していた。特に下肢は、理帆の意のままにならなくなっている。両足が突っ張っていて、太腿の筋肉が石のように固くなっていた。

「気分を、楽にして……」

尾形の声が、下のほうから聞こえて来た。

「ええ」

理帆は、夢中でうなずいた。

「何も、怖がることはないんだ。これは、一種の儀式なんだから……」

尾形は理帆の太腿を、ヒタヒタと叩いたり撫で回したりした。

「そうね、セレモニーなのね！」

理帆の声は、悲痛な叫びのようになっていた。

「さあ、ここの力を抜いて……」

尾形は理帆の太腿を、今度は揉むようにした。

「はい」

理帆は両足を、弛緩《しかん》させることに努力した。

両足から力が抜けて、膝と太腿が柔らかくなったような気がした。とたんに尾形の両手が、理帆の太腿を広げていた。次の瞬間、尾形は理帆の股間に顔の一部を埋めた。

去年だったかプレイガールを自称する友人から、猥談の中で陰核に関しての説明を聞かされたことがある。それが、何とも滑稽な話であった。

「核というのは、果実の果皮が硬化して中心部のタネを保護するものなのよ。それで一般に物体とか現象とかの中心になるものを、核というわけなのよ。核心というのが、それなのよね。女の身体にも核があって、そこを愛撫されると絶頂感に達しちゃうの。細胞の中心にあって、小さな球形で、核膜に包まれているのが細胞核でしょ。これは形まで、女の陰核に似ているわね」

こうした話で知ったその部分に、尾形の唇と舌が触れるのを理帆は感じた。いまは、滑稽どころではなかった。理帆は、衝撃を受けていた。

理帆にはマスターベーションの経験もないので、その小突起の愛撫によるオルガスムスを知らなかった。しかし、理帆は初めて奇妙な快感が生じるのを、自覚していた。

甘美な性感、という気はしなかった。心地よさは強まっても、快美感が上昇線を描くこともない。それより、尾形にその部分を愛撫されているという歓びが、精神的に作用して理帆を陶酔させていた。

声は出さないが、理帆の息が乱れた。理帆の頭の中には、ピンク色の雲が広がっている。身体がやたらと熱く、動悸も激しくなる一方だった。

理帆は股間が、ひどく濡れているような気がした。尾形が意識的に、多量の唾液を流しているらしい。それが何を意味するかは、理帆にも何となく見当がついた。

未知の世界へ導かれるときが、いよいよ近づいていると理帆は察していた。とっくに覚悟ができているので、恐怖感はまったくなかった。

いまさら気が変わるはずはないし、躊躇したりすることもない。あるとすれば、苦痛への不安だけだった。だが、そのことにしても乱暴にしないで、やさしく扱ってもらうという救いがあった。

わたしは、彼のものになる。

彼が好きだし、もしかすると愛しているのかもしれない。

いや、肉体的に結ばれたら、もっと愛するようになるだろう。

そのようなことを、理帆は胸の中でつぶやき続けた。一方では次の予定日から計算したうえで、妊娠の心配もないという安心感を、理帆は自分に植えつけていた。

理帆はすでに、裸身に汗をかいている。見たところ理帆は、意識を失いかけた病人を思わせた。喘ぎながら眠っているような顔だし、理帆の胸はいかにも苦しそうに波打っているからであった。

理帆は、そのときを待つ。

尾形が、上体を起こした。尾形は大きく、理帆の太腿を開かせた。いよいよだという思いから、理帆は手探りで枕を求めた。二つ重ねてある平枕に、指が触れる。

平枕のひとつだけを、顔のうえまで引っ張った。声を殺すためではない。どんな表情に変わるかわからない顔を、尾形にまともに見られたくなかったのだ。あまり大きな声が出てしまいそうなときには、何かにすがりつきたいという気持ちもあった。

それと、枕の一部を口の中へ押し込んでもよかった。

理帆の股間に、何かがあてがわれた。熱く感じられるし、人間の肉体とは考えられない硬度に受け取れた。しかし、それが尾形の男そのものであると、解釈するほかはなかった。

息を乱しながら、理帆は身体を固くした。リラックスしようと努めても、実際には通用しなかった。緊張して、全身が萎縮する。力がはいりすぎて、震えまで生じていた。

尾形のものが、理帆の割れ目で遊んでいる。前戯の段階で尾形が流した唾液によって、理帆のそのあたりは音を立てるほどの潤いがある。

尾形は更にみずからの柱を、唾液で濡らしているらしい。そうした潤滑油が必要なことは、理帆にも理解できている。尾形のそれに、少しばかり力が加わった。

ほんの浅くだが、理帆の襞《ひだ》を分け開いて尾形は推し進めたのだ。理帆はそれだけでも、肉が裂けるような痛みを覚えた。

「あっ……」

理帆は、声を洩らした。

尾形の熱いものが、なおも理帆の中へめり込んでくる。それは信じられないほど巨大であり、とても受け入れられるものではないことを激痛が証明していた。

位置を変えずに踏んばって、結合を早めようといった思考は、どこかへふっ飛んでしまう。

それよりも何よりも、痛みに耐えられなかった。

理帆の身体は、逃げることになる。ジワジワと追いつめられるように、理帆はベッドのうえをずり上がっている。しかし、間もなく理帆の頭が、ベッドの木造のヘッドボードにぶつかった。

それ以上、逃げようとすればヘッドボードに押しつけられた脳天が痛むし、身体を二つ折りにするほかはなかった。すでに尾形の肉柱は、先端だけでも進入を果たしている。腰を折ることは、できない状態である。

「痛い！」

逃げられなくなって、理帆は悲鳴を上げていた。

それを聞いて、尾形は動きを止めた。無理をしていると思ったらしく、尾形は腰を引こうとする気配を示した。それもまた、理帆には許せないことだった。

理帆は尾形の進入を、拒否しているわけではない。むしろ歓迎しているし、一刻も早くと結合を急いでいるのだ。そのための苦痛は、耐えるつもりでいる。それなのに、中止されたのでは意味がない。

「駄目、やめないで！　ちゃんと、続けて！」

理帆は、必死に叫んだ。

その理帆の言葉に、尾形が逆らうはずはない。男の立場にすれば、励まされて奮い立つ。尾形はやや強引に、腰を動かした。理帆を引き裂くように、尾形の巨大なものが貫いた。

理帆は、枕を噛んだ。突き抜けたという感じで、激痛が遠のいた。理帆は一瞬とめた息を吐き出して、全身の力を抜いていた。理帆の深奥部まで、貫通している尾形の量感と硬度が、はっきりと把握できる。

尾形が、理帆のうえに覆いかぶさった。理帆は開かれている両足を、そろえるように狭める。理帆は、尾形に埋め尽くされている。尾形のものが自分の中にあることを、理帆はじっと確かめていた。

これが男女の愛し合う形なのだと思うと、理帆は涙がこぼれそうになる。結合の実感が湧き、気分が充足する。性感に、火がつくようなことはなかった。

不快ではないが、快感もない。尾形が腰を使えば、まだ痛みが続く、しかし、もう我慢しきれないという痛みではなくなっているし、それよりも一体感がはるかに理帆を満足させる。

尾形ひとりだけが、やがて絶頂感にのぼりつめた。そのときも理帆は、精神的に満ちたりていた。尾形は理帆の肉体に、歓喜しながら達したのだ。それに理帆は、勝利の気分を味わった。

それだけに尾形の萎えたものが、理帆の中から去っていくのが寂しかった。いつも尾形とひとつでいたいと、理帆は彼との一体感というものに執着を覚えた。

尾形は隣りのベッドに移り、たちまち寝息を立て始めた。

予想したほどではないが出血があり、その始末をしなければならなかった。理帆は浴室で、バスローブとバスタオルを洗濯した。そのあとシャワーを浴びて、理帆は自分の身体を洗った。

理帆が再び寝室のベッドに戻ったのは、午前三時であった。それでも、なかなか寝つかれなかった。昨日までの自分と変わったことが、理帆を興奮させているのだった。

午前五時にウトウトして、そのあと熟睡した。揺り起こされたのは午前十時で、目の前に尾形が立っていた。尾形は身支度を終えて、コートまで着込んでいる。

「あら……」

理帆は顔が熱くなり、尾形を直視することができなかった。

「ああ、そのままでいいよ」

起き上がろうとする理帆を、尾形が制した。

「もう、帰っちゃうの」

「だって、時間ギリギリだぜ。富山で、人と会う約束があるんだ」

「昨日と今日の二日間、休暇をもらえたんじゃなかったの」

「会社に関係ない人間と、会うことになっているんだよ」

「それなら一時間ぐらい、遅れたっていいじゃないの」

「そうは、いかないよ。約束に遅れたりすると、どこに一泊したんだ、どこから富山へ戻って来たんだって、あれこれ追及される恐れがある」

「でも、こんな形でお別れするのって、ものたりないし寂しいわ」

「すぐまた、東京に電話する。それに年内にもう一度、何とか会えるように一泊二日の都合をつけるつもりだ」

「ほんとに……！」

「おれたち、こういう関係になったんだ。このまま当分、愛し合えないっていうのはせつないよ。おれなんか今夜になったら、もうきみが欲しくてたまらなくなるからね」

「嬉しいわ」

「それに、例の計画もあるだろう」

「そう、一月十八日よ。一月十八日を、絶対に忘れないでね」

「忘れるもんか」

「来年になってからだって、その打ち合わせのために何度か会わなければならないのよ。時間、作れるでしょうね」

「五千万円を、受け取っているんだ。時間なんて、何とでもする。そのときだってホテルを利用すれば、おれたち好きなだけ愛し合えるんだ」

「別れ際にそういう刺激的なことを、言わないでくださらない？」

理帆の声が、甘くなっていた。

「じゃあ、まずは電話、それから年内に東京のホテルに二人で泊まろう」

尾形は理帆と瞬間的に唇を重ねると、音を立てて吸ってからベッドのそばを離れた。

「今夜から毎晩、あなたの電話を待っているわ」

浴衣の裾が割れるのも気にかけずに、理帆はベッドのうえにすわった。

「愛している」

尾形は、寝室を出ていった。

数秒後に、リビングのドアのしまる音が聞こえた。尾形はもう、この部屋にいないのだ。尾形は五千万円を持って、去っていったのである。理帆はベッドから降り立つことで、あとに残った空虚さを打ち消した。

理帆の下腹部には、まだ尾形のものが挿入されたままのような異物感があった。その感覚が、何となく理帆を力づける。彼とは常に一体なのだと、異物感が理帆の寂しさを紛らわしてくれる。

理帆にしてもチェックアウトの時間が迫っているので、支度を急がねばならなかった。顔を洗って化粧をして、着替えをすませた。

尾形には五千万円を、ボストンバッグに入れて持たせてやった。

理帆は昨夜ホテルの一階の売店で買ってきた新しいボストンバッグに、衣類や洗面具など旅行用品だけを移した。大型のボストンバッグなのに荷物が少ないので、ヨレヨレになって見える。

そんなボストンバッグを手にして、理帆は記念すべきホテルの部屋を出た。エレベーターの中で、理帆は真紅のコートを着込んだ。一階の広いロビーを、フロントへ向かう。支払いを終える。

ホテルの正面玄関へ、足を運ぶ。理帆は、立ちどまった。前方にたたずむ男の姿が、不意に理帆の目に飛び込んで来たためである。理帆は、愕然《がくぜん》となった。

どうして声も出ないほど、驚かなければならないのか。理屈から言えば、理帆が驚愕する理由はまったくないのだ。それなのに理帆は、大きく目を見はっていた。

昨夜、レストランにいたサングラスの男であった。いまも、サングラスをかけている。黒いコートを着て、アタッシェ・ケースを持っていた。連れはいないようだった。

男のほうも、理帆を見つめている。目をそらすことも、顔を動かすこともない。大胆に、視線を固定させていた。距離は三メートル、男の顔の左側面の傷跡がはっきりと見える。

新しくはないし、傷そのものも一本の線になっている。しかし、明らかに刃物による傷跡であり、そのことが何よりも不気味であった。

いったい何者なのか、どうしてこのホテルに来ているのか、理帆に何か用があるのか。心臓の鼓動の乱拍子が、理帆の不安を物語っていた。

第四章　消えた正体

1

何かご用ですかと、理帆のほうから声をかけるわけにもいかない。サングラスをかけた男が、理帆を待ち受けていたとは限らないからだった。

世の中には、偶然というものがいくらでもある。昨夜、男がレストランにいたのも、いまここで出会ったのも、その偶然というものであることは否定できない。

サングラスの男には同伴者がいて、それを玄関で待っているのかもしれなかった。男が理帆をじっと見つめているのも、そういう癖なのではないか。

赤の他人や見知らぬ相手を、凝視する癖というのもないとはいえない。あるいは理帆が知り合いの女によく似ているので、男には興味が湧いたというふうにも考えられる。

理帆は男を無視して、ホテルを出ることにした。理帆は、歩き出す。男の横を、通り抜ける。

男は理帆を、呼びとめなかった。ホテルの外へ出て、すぐタクシーに乗る。

「どちらへ……」

五十代の運転手が、振り向いて笑顔を見せた。

「新潟駅まで、お願いします」

男が追いかけて来そうな不安を覚えて、理帆はホテルの玄関へ目をやらなかった。

「承知しました」

運転手は、車を発進させた。

「雪は、やんだんですね」

吸い込まれそうに真っ青な新潟の空に、理帆は目を細めていた。

「もう、解けちゃいましたよ」

運転手は、前方を指さした。

大通りは黒く濡れていて、車の交通量が多いせいか乾いている部分もあった。道路の端だけに汚れた雪が点々と残っていた。

「大雪じゃなかったんだわ」

「昨夜は、かなり積もるみたいな雪だったんですが、今朝になったらこの快晴でしょう。それに、気温も高いんですよ」

「そうですね。コートなんてなくてもいいくらい」

「まあ、十一月の初旬っていう陽気ですよ。歳末だなんて気がしませんし、これも異常気象ってやつですかね」

「そうでしょうね」

「お嬢さんは、東京へ帰られるんですか」

「東京から来たって、わかるんですか」

「そりゃあもう客商売ですから、人を見る目と観察力は鋭いですよ」

「自信があるんですね」

「ですけど、お嬢さんは変わっている」

「変わっている……？」

「お嬢さんのような女性が、東京から新潟まで独り旅でしょう。ホテルにもひとり泊まったとなると、やっぱり変わっているんじゃないんですか」

もちろん半分は冗談だというように、運転手は大きな声で笑った。

「だって、用事があって来たんですもの。独り旅は、当たり前でしょ」

理帆は、嘘をついた。

「変わっているっていえば、お嬢さんを乗せる前の客っていうのが、おかしな男性でしてね」

運転手の顔つきは、ルームミラーの中で真剣味を帯びていた。

「どう、おかしかったんです」

理帆はまたしても、サングラスの男のことを思い出していた。

「それが、サングラスをかけているんですが、そんなものでは隠せない傷跡があるんですよ」

運転手は指先で、顔の側面に線を引いてみせた。

「傷……」

理帆は、息を呑《の》んだ。

サングラスをかけていて、顔に傷跡がある。間違いなく、例の男のことであった。

「まだ若いのに、左の横顔に傷跡があるんです」

「刃物で、切ったような傷跡ですか」

「あれは絶対に、刃物の傷でしょう」

「包丁のような刃物で、切られたような傷の跡ね」

「耳のあたりから、顎まで一直線に走っている傷でした」

「傷を縫うのに、大変だったんじゃないかしら」

「お嬢さん、あの男性をご存じなんですか」

「ホテルのロビーで見かけたんです。入口の真ん前に、突っ立っていました」

「だったら、あの男性のお目当ては、お嬢さんだったのかな」

「お目当てがわたしって、どういうことなんですか」

「一度はね、この車に乗り込んで来たんですよ」

「それで……」

「わたしは、ドアをしめようとしますね。そのとき、お客さんはホテルのロビーを見ていましたが、ちょっと待ってくれって言って、さっさと車を降りちゃったんですよ。そのあとはホテルのロビーへ戻って、それっきりなんですよ」

「乗ったタクシーをすぐに降りて、ホテルのロビーへ戻っていったんですか」

「そうしてすぐに、お嬢さんが現われたってことなんです」

「その男性は、ホテルの入口のところに立っていました」

「サングラスとか顔の傷とかは、問題じゃないんです。あの男性の行動ってものに、納得がいかないんですよ」

「確かに、奇妙だわ」

「チェックアウトして、ホテルを出て、タクシーに乗り込んだ。ひとりでタクシーに乗ろうとしたんだから、連れはいないってことでしょう」

「ええ」

「それなのにどうして、急にタクシーを降りてホテルの中へ戻ったのか」

「しかも、その男性は入口の前から一歩も、動こうとしなかったんだわ」

「連れがいないんだから、誰かを待つってことはないでしょう」

「興味のある人間がロビーにいるのを見つけたんで、あの男性はホテルの中へ戻っていったとしか考えられませんね」

「そうですね」

「そうなるとお目当ては、お嬢さんってことになる」

「まさか……！」

理帆は、笑って誤魔化した。

例の男のターゲットは、理帆であったのに違いない。男はタクシーに乗ろうとしたが、ホテルの正面玄関へ向かってくる理帆を発見した。

そのために男は、急いでタクシーを降りるとホテルの中へ戻った。男は近づいてくる理帆を見つめて、何とか言葉を交わせるキッカケを求めようとした。

理帆はおやっという反応を示したが、あえて男を無視することにした。理帆は男のそばを通り抜けると、ホテルを出てそのままタクシーに乗り込んだ。

男があとを追ってくる時間も隙も、理帆は与えなかった。だから、男とのあいだに接点も生じなかったし、理帆は無事に逃げ出せたのだ。

しかし、それが事実だということを、理帆には恐ろしくて認められなかった。あの男のお目当ては理帆だった、というタクシーの運転手の推理も聞き流すほかはない。

「お待ちどおさまでした」

タクシーが、停まった。

新潟駅の北口に、到着したのである。あっという間についたと、理帆には感じられた。距離もそれほどないし、運転手と話し込んでいたせいだろう。

「お世話さまでした」

理帆は、チップを弾んだ。

北の万代口からだと、新幹線の乗り場は反対側にある。理帆は足を早めて、新幹線コンコースへ抜けた。理帆は、逃げる人間の心境になっている。

あの男が、具体的な意味もなく恐ろしい。不吉な予感がする。

あの男と二度と会わないためには、一刻も早く新潟から離れることだった。新幹線に乗ってしまえば、もう心配はない。

十二時十四分発の『あさひ』は、十二番線から発車する。理帆の席は、グリーン車にあった。発車するまでの数分間が、途方もなく長いように思える。

やがて、列車が動き出す。ゆっくりと後方へ去るホームが、新潟との別れを実感させる。列車は、速度を増す。理帆は全身の力を抜いて、深く吐息する。

燕三条《つばめさんじょう》、長岡に停車したあと、越後湯沢、高崎、大宮を経て、上野には十四時十八分につく。この列車は上野停まりで、東京駅までは行かないのだ。

理帆は、目を閉じる。

理帆の下腹部には、依然として異物感が残存している。尾形のものを受け入れたままでいるような感覚が、理帆に恥じらいを呼ぶ。しかし、どうしても尾形久彦のことを、考えずにはいられない。

理帆は、尾形が恋しくなる。もっと、一緒にいたかった。せめて五日間ぐらいはホテルにいて、尾形久彦と愛し合いたかった。いや、これは心の問題ではなく、理帆の身体が尾形に未練を感じているのかもしれない。

ふと人の気配がして、理帆は薄目をあけた。

とたんに理帆は、飛び上がるようにして肢体を硬直させた。とても信じられないことが、起こったのである。例のサングラスの男が通路にいて、理帆を見おろしていたのであった。

これはもう、偶然の出会いとはいえなかった。

サングラスの男はホテルから追って来て、この列車に間に合ったということになる。当然、理帆の姿を確認したうえで、男は列車に飛び乗ったのだろう。

やはり、この男の目当ては理帆だったのである。男は昨夜から、理帆と接触するチャンスを狙っていた。今朝になって男はいったん諦めたが、たまたまロビーに現われた理帆に気づいた。

それで男はついに新幹線の中まで、理帆を追ってくることになったのだ。ただの遊びではなく、男にはちゃんとした目的があって理帆に接近することを意図している。

そうでなければ、このように執念深く追ってくることはない。いったい男は、何者なのだろうか。表情のない男の顔が実に不気味で、理帆は声を失っていた。

「いま車掌に確かめましたが、この席はあいているそうです」

理帆と並ぶ通路側の席を、サングラスの男は指で示した。

グリーン車は窓側の席こそ完全に埋まっているが、通路側にはポツンポツンと空席があった。

理帆の隣りの席も、そうだったのである。

初めて聞いたが、男の声は低かった。ドスが利いているというより、陰気な低音に感じられた。男の印象と同じで、声までが暗いのであった。

「失礼しますよ」

サングラスの男は、席に腰をおろした。

「これは、どういうことなんです」

理帆は逃げるように、窓側に身体を縮めていた。

「あんたに、用がある。それも、重大なことです」

サングラスの男は、足もとにアタッシェ・ケースを置いた。

「ですけど、わたしはそちらさんを、まるで知らないんです」

驚きと不安の表情がまだ、理帆の顔で凍りついている。

「こっちも昨夜、ホテルのレストランで初めて、あんたを見かけた」

「身分を、明らかにしてください」

「それは、できない」

「名前と職業くらいは、明かすのが礼儀でしょう」

「無理だな」

「住所は……」

「それも、言えない」

「怪しいとしか、言いようがありませんね。そういう人を、誰が信用しますか。場合によっては、警察に助けを求めなければなりません」

「そんな必要はない」

「どうしてですか」

「おれは、あんたに危害を加えない。解釈のしようによっては、あんたの味方ってことになるんでね」

「何が、味方なもんですか。正体を明らかにしない味方なんて、どこの世界にいるんですか」

「まあ、落ち着くことだ。あと一時間、辛抱すればいいんだから……」

「一時間……」

「おれは、高崎で下車する。だから、ここにすわっているのは、あと一時間ってことになる」

「一時間もお話をするんだったら、いろいろと教えてくれてもいいでしょ」

「答えられることには、答えるさ」

「あなたは偶然というよりほかに用があって、新潟のオークラホテルにいらしたんですか」

「新潟には、何の用もなかった。したがって、オークラホテルでのあんたとの出会いも、偶然とはいえないだろう」

「じゃあ、何のために新潟へ……？」

「ある男のあとを、つけて来たんだ」

「ある男って、誰なんです」

「尾形だ」

「あなた、尾形さんを知っているんですか」

「尾形のことは、中学時代から知っている。親友とまではいかないが、中学時代は仲のいい友だちだった」

「どうして尾形さんのあとを、つけたりしたんです」

「尾形が何かを企んでいるって噂を、耳にしたんでね」

「企んでいるって、尾形さんはどんなことを企んでいるんですか」

理帆は、ギクリとした。

尾形が、何かを企んでいる――。それは殺人計画のことを指していると、理帆は察したからであった。もしそうだとしたら、理帆と尾形はこのサングラスの男に、決定的な弱みを握られているということになる。

「企みの具体的な内容ってのは、まったくわかっていない」

サングラスの男は、表情を変えなかった。

そのはずだと、理帆は胸を撫でおろしていた。理帆が尾形に殺人計画を打ち明けて、報酬の五千万円を渡したのは昨日、新潟のホテルについてからのことなのだ。

それ以前に理帆と尾形の企みを嗅《か》ぎつけられる人間は、この世にひとりもいないのである。

サングラスの男が言う尾形の企みとは、殺人計画に何ら関係のないことなのだろう。

「具体的な内容がわからないで、どうして企みって言えるんですか」

心配することはないと、理帆は自分に言い聞かせた。

「このところ尾形は、おれは大資産家の令嬢に惚《ほ》れられているとか、舞い上がっているという噂を聞いた」

サングラスの男は、駅のホームの風景に目を走らせた。

新幹線は、長岡駅を発車したところであった。

「それが事実であっても、何かを企んでいるってことにはならないでしょ」

理帆は尾形が意外に、慎重さに欠けている男であることを知った。

電話で恋人みたいな口をきくなどと理帆に言いながら、実は尾形のほうがすっかり恋人の気分でいたらしい。しかも、そのことを黙っていられずに、友人知人の一部に吹聴したのだ。

それも大資産家の令嬢に惚れられたと、表現している。大金持ちのお嬢さんに夢中になられてと、尾形は得意げに強調したのだろう。一緒にいるときと違って、尾形は軽佻《けいちょう》浮薄《ふはく》であった。

「もうひとつ尾形は、おれが許せないことをやらかした」

「何をしたんです」

「それは、言えない。資産家の令嬢に惚れられたって話と、おれに許せないことっていうのを結びつけると、尾形が何かを企んでいるとおれには見当がつく」

「そうなんですか。肝心なことは言えないっていうんですから、わたしには話がチンプンカンプンです」

「それに加えて昨日、尾形が新潟へ行くという情報が、おれの耳にはいった」

「あなたは大した組織か情報網かを、持っているようですね」

「尾形にとって新潟は縁のない土地だ。新潟へ行かなければならない社用、私用もないはずなのに、尾形ひとりで新潟へ出向く。これは例の金持ちの令嬢との密会だと、おれは直感した」

「それが、尾形さんを尾行した理由なんですか」

「そうだ」

「尾行は、どこから始めたんです」

「もちろん、富山からだ」

「オークラホテルまでね」

「そうだ。尾形はおれの存在に、まったく気づいていなかった。それで尾形はフロントで、花房理帆の連れですがルームナンバーはと、大きな声で訊いた。おかげでおれも花房理帆ってい
う名前と、部屋は十二階のスイートルームだって知ることができた」

「花房理帆がつまり、資産家の令嬢ってことなんですね」

「あんただ」

「花房理帆という名前に、聞き覚えがありましたの」

「何となくね」

「昨夜、ホテルの十五階のレストランで、お目にかかったでしょ」

「あれも、偶然じゃない」

「わたしたちがレストランに現われるって、わかるはずがないじゃないですか」

「あのレストランは、鴨のローストと夜景が売りものだ。若い恋人同士がオークラホテルに泊まれば、必ずムードのある夜景を眺めながら、あのレストランのディナーを楽しむだろう。その確信があったから、おれはあそこで一時間以上も待った」

「読みが深いんですね」

「そうしたら案の定、尾形とあんたが現われた。尾形と一緒ならば、花房理帆に決まっている」

「わたしばかりを見つめるようにしていましたけど、なぜわたしと会う必要があったんでしょう」

「花房理帆という女の容姿を、見てみたかったんだ」

「それで、お気に召しましたか」

理帆は、開き直ったような口ぶりになっていた。

「満足した」

相変わらず、男はニコリともしない。

「満足したとは、どういう意味なんでしょうか」

理帆は横目で、男をにらみつけた。

「満足じゃなくて、納得したというべきだろうな」

男は指先で、サングラスを押し上げた。

2

理帆と男のあいだで、やりとりが途切れた。男は沈思黙考しているように感じられるが、頭がどう働いているのかは見当のつけようもない。

男の狙いは何かという不安が、理帆の気持ちを重くしている。だが、男に対しての恐怖感は、かなり薄れていた。三十分以上も一緒にいることから、一種の馴れ合いが生じたのだろうか。

男はいま、理帆の左側にすわっている。そのために、男の左の横顔にある傷跡は理帆の目にはいらない。それで、男がすごみを感じさせないということも、理帆の気をいくらか楽にさせている。

傷跡がない横顔は端整であり、男が笑うようであれば甘いマスクも想像できる。色は白いほうだし、虚無感を漂わせていなければ美男の部類といえる。

それに外見はやくざっぽいが、根っからの悪党とは思えない。恐ろしい犯罪常習者には、とても見えなかった。より知的であって、深みのある人間性を感じさせる。

理帆には、危害を加えない。ある意味では理帆の味方だと、男は言いきっている。もしかすると、それらは口から出まかせの嘘ではないのかもしれない。

男の話を聞いていると、むしろ尾形のほうが頼りなく思えてくる。

尾形は富山から新潟のホテルまで、古い友人に尾行されていることに気づかなかった。ホテルのフロントでは、『花房理帆の連れだけどルームナンバーは……』と大きな声で尋ねている。

フロントで教えてもらわなければルームナンバーがわからないにしろ、何も大きな声で質問する必要はない。もっと慎重であれば、サングラスの男に花房理帆の名前も聞かれずにすんだ。

更に用心深い人間であれば、新潟駅あたりからホテルに公衆電話をかける。花房理帆の部屋をと頼めば、電話は十二階のスイートルームにつながる。

そこで理帆自身から、ルームナンバーを聞く。ホテルについたらフロントへ寄らずに、十二階のスイートルームに直行する。そうすれば、尾形と理帆の接触は誰にも知られなかった。

この点はまあ、フロントで尾形と名乗ったわけではないから、大目に見てもいい。しかし、ホテル内のレストランやバーに行きたがったのは、軽率だと責められても仕方がない。

理帆はルームサービスで食事を、飲むなら部屋でと主張したが、尾形は聞き入れなかった。人目につくことを避けようとする心構えと、緊張感に尾形は欠けていた。

やはり、油断というものだろう。その結果、ホテル内のレストランで尾形と理帆が一緒のところを、サングラスの男に目撃されてしまった。

そのうえ尾形は、少しも周囲に注意を払わなかった。サングラスの男がいたテーブルに、尾形は一度として目を向けていないのだ。もっとも尾形が振り返るような気配を示せば、サングラスの男は立ち上がるか新聞を広げるかしたに違いない。

何よりの失敗は、大資産家の令嬢に愛されていると、知人の前で自慢話をしたことである。それがサングラスの男に疑惑を抱かせたのだから、取り返しのつかない大失敗といえるだろう。

そのような調子で、尾形は大丈夫なのだろうか——。理帆は何となく、心細くなっていた。五千万円の現金を尾形に渡したのも、まずかったかもしれないと理帆は後悔していた。

五千万円を、知人に見せびらかす。急に金使いが荒くなると、またしても舞い上がるようであれば、尾形そして理帆も身の破滅を招くことになる。

「ボストンバッグの中身は、何だったんだろうな」

まるで理帆の心のうちを見透かしたように、サングラスの男は唐突にそんな質問を持ち出した。

「ボストン……?」

理帆は反射的に、網棚のうえのボストンバッグを見上げた。

「尾形が、持ち出したやつさ」

男は時計に、目を落としていた。

越後湯沢をすぎて、新幹線はすでに群馬県内を走っている。高崎まであと、十五分ぐらいだろう。

「尾形さんのボストンバッグって……」

理帆はいちおう、とぼけることにした。

「昨日、ホテルについたときの尾形は、コートを抱えているだけで、荷物を持っていなかった」

誤魔化すなというように、男はゆっくりと首を左右に振った。

「よく、見ているんですねえ」

理帆は、話題を変えようと努めた。

「ところが今朝の尾形は、ボストンバッグを提げてホテルを出ていった。当然、中身をボストンバッグごと、あんたからもらったと考えるほかはない」

「上げたとか、もらったとかいうんじゃなくて、わたしのプレゼントです」

「プレゼントね」

「クリスマスの贈り物だわ」

「中身は、どういうものだった」

「そこまで、答える義務はありません」

「クリスマスのプレゼントなら、何もボストンバッグに詰め込むことはないだろう」

「それが、ボストンバッグを必要とするほど、大きなものだったんです」

「ボストンバッグは、あまりふくらんではいなかった。むしろ尾形は、重そうにして持っていた」

「そう、見えただけでしょう」

「それに普通だったら、包装紙にリボンをかけたりしたまま相手に渡すのが、プレゼントっていうものだろう」

「富山まで持って帰るのに、バッグに入れたほうが楽だろうと思って……」

「そういうときには、尾形が自分でショッピング用の紙袋でも手に入れるはずだ」

「尾形さんって、そんなふうにマメじゃないんでしょうね」

「どうしてボストンバッグごと、尾形に渡したんだ」

「ですから……」

「あまり簡単には、移し替えないほうがいい中身だったからかな。紙袋みたいに口が開いたりする入れ物では、まずい中身だったからかな。つまり、人には見せたくない中身ってことになる」

「あなたは中身を、どんなものだと思っているんですか」

「現金じゃないかな。それも、数千万円という札束だ」

「それ、想像でしょ」

「いや、推理だ」

「推理だって、事実の証明にはならないでしょ」

「尾形が、ホテルを出て行くときの顔ったらなかった。嬉しくて嬉しくてしようがないって、涎《よだれ》でも垂らしそうな顔でひとりニヤニヤしていた」

「きっと、わたしからのプレゼントが、気に入ったんでしょう」

「それに抱え込んだボストンバッグに顔を押しつけたり、手で撫で回したりしていた。あれは大金を手に入れたときの人間が、よく見せる仕草だ」

「空想は、もう聞きたくありません」

「東京から旅行用具を入れて持って来たボストンバッグごと尾形にくれてやって、あんた自身のボストンバッグはホテルの売店で買う。そんな変わったことをしておきながら、あんたは普通のクリスマス・プレゼントだって言い張るのか」

「わたしがボストンバッグを買うところまで、あなたは見ていたんですか」

「あんたと尾形を、ずっと見張っていたんでね。だからこそ今日の午前十時すぎに、ボストンバッグを抱えてホテルを出て行く尾形にも気がついた」

「わたしは、違いますね。待ち受けていたんではなくて、偶然わたしを見つけたんでしょ。もうホテルから引き揚げようとしているとき、ロビーに現われたわたしに気がついて、乗ろうとしていたタクシーから、あわててホテルの中へ戻ったんですよね」

「あれは、幸運だった」

「それで、新潟駅まで追いかけて来て……。あなたって、警察の人なんですか」

「そうかもしれない」

「ですけど、何の事件も起きていないのに、警察が動き出すはずはないでしょ」

「そうも言える」

男はアタッシェ・ケースを手にして、素早く立ち上がった。

列車は、スピードを落としている。高崎駅に、到着するのだった。

「これから、どちらへ……」

理帆の視界に、ホームにたたずむ多くの人影が飛び込んで来た。

「富山へ、引き返す」

男は、通路へ出た。

「尾形さんに、会うんでしょうね」

理帆は、胸の奥に痛みを感じた。

「もちろん」

背中で答えて、男は去っていった。

列車は停止していて、人々の乗降が始まっている。理帆は、窓の外を見た。ホームを歩くサングラスの男が、窓の前を通りすぎた。男は瞬間的に、理帆へ目を向けた。

男の顔には、まったく表情がない。死神のように暗く、虚無的な雰囲気を肩のあたりに背負っている。理帆は目礼も送らずに、男を無視した。

とんだ邪魔者に、挨拶をする義理などない。男のほうも、知らん顔でいた。発車した新幹線が、男の後ろ姿を追い越す。誰ひとりとして、気づかない別離であった。

しかし、サングラスの男が消えたことで、理帆はいっそう憂鬱《ゆううつ》になっていた。これから四十八分間の独り旅のあいだ、男が言ったことのすべてを思い起こさなければならないからだった。

あの男が、刑事だということはあり得ない。犯罪となる事件が発生していないうちに、警察が捜査に乗り出すはずはなかった。それに刑事であれば、必ず警察手帳を見せるだろう。

口のきき方も言葉遣いも、刑事らしくない。どこか馴れ馴れしくて、乱暴な喋り方をする。丁寧語はいっさい使わないし、最初から最後まで威張った態度でいた。

だが、あの男の勘は鋭く、洞察力も優れている。ボストンバッグの中身が数千万円の札束だという男の推定には、理帆も驚くより絶望感を覚えた。

たとえ刑事でなくても、あの男に問い詰められたら尾形はどうするだろうか。サングラスの男のすごみと迫力からすれば、どうも尾形に勝ち目はなさそうな気がする。

詰問されて、答えようがなくなる。追いつめられて尾形は、理帆から五千万円を受け取ったことを認める。そうなれば次は、五千万円が何の報酬かを追及される。

そこで尾形が、殺人の報酬であることを打ち明ける可能性も、十分に考えられる。サングラスの男はそのことを、警察に通報するかもしれない。

万事休すであり、理帆の殺人計画は発覚する。そのような幕切れも、理帆は予想しなければならなくなったのだ。とんだ疫病神《やくびょうがみ》が、現われたものである。

昨日までは、順調だった。

真相は誰にも知られないうちに、阿佐見涼子の殺害計画が実行に移される。

完全犯罪が、そこに成立する。

そうなるはずだったのだ。

それなのに、あの疫病神がすべてをぶち壊し、台なしにしようとしている。サングラスの男は何の権利があって、理帆の計画を妨害しようとするのか。

理帆は、あの男が憎かった。もし正義を振りかざして行く手に立ちふさがるのであれば、理帆はあの男に言ってやりたい、阿佐見涼子を殺すことも、ある意味では正義なのだ——と。

それにしても、あの男の正体がわからない。尾形久彦とは中学時代からの友人同士、と言うだけである。そして、あの男は実に気にかかることを、四点ばかり口にしているのであった。

その一は、尾形の言動に関することだった。

「資産家の令嬢に惚れられたと吹聴したという噂のほかに、尾形はもうひとつおれに絶対に許せないことをやらかした。その二つを結びつけると、尾形が何かを企んでいるとおれには見当がつく」

まずサングラスの男は、このように言ったのである。

尾形が、あの男には絶対に許せないことを、やらかしたというのだ。しかし、許せないこととは何かを、あの男は明らかにしなかった。

それは言えないと、男は口を結んでしまった。では、いったい尾形が、何をしたというのだろうか。そのことによって尾形が何かを企んでいると見当がついたというから、なおさら理帆の胸には引っかかるのだ。

その二は、花房理帆という名前に聞き覚えがあったのかと、理帆が質問したときの答えである。

「何となくね」

男は、そう言った。

これまで無縁の関係にあった人間の名前には、まったく聞き覚えがないはずではないか。それなのに男は、『何となく聞き覚えがある』と答えている。

昨日まで会ったこともない男が、なぜ花房理帆という名前を何となく知っているのか。それに『何となく聞き覚えがある』とは、どういう意味なのだろうか。

その三は、どうしてわたしと会う必要があったのか、という理帆の質問に対する返答だった。

「花房理帆という女の容姿を、見てみたかったんだ」

男は、そんなふうに答えた。

これも、気になる。何も理帆の容貌や身体つきを、見てみなければならないという理由はないだろう。男はどんな目的があって、理帆の容姿をじっくり観察しようとしたのか。

その四は、理帆をしみじみと眺めてみての感想であった。それでお気に召しましたかと理帆は訊いたのだが、その答えにも男は奇妙な表現を用いている。

「納得した」

男はこんな言葉を、口にしたのである。

納得したとは、どういう意味だろう。予想していたとおりの女ということか、それとも逆に期待はずれと言いたかったのか。いずれにしても、その意味の曖昧《あいまい》さが気になるのである。

しかし、いまとなってはどう推理したところで、解決する問題ではなかった。気にしないように、努めるほかはない。それよりも、今後どうするかのほうが重大だった。

しばらくは事の成り行きを見守るしかないと、列車が上野駅についたときに理帆は結論を出していた。尾形久彦と再会するまでの仮の結論だから、くよくよすることはないと理帆は自分を励ました。

尾形とは、年内に会うことを約束している。尾形が上京して、二人で東京のホテルに泊まるのだ。今夜から毎晩あなたの電話を待っていると、理帆は別れ際に尾形に伝えた。

まずは尾形からの電話を、待つことであった。大晦日に外泊するわけにはいかないので、年内というと残り五日である。明日、明後日は無理としても、おそらく十二月二十八日に尾形の上京となる。

一泊だけでは、理帆のほうが不満を覚える。せめて十二月二十八日、二十九日と二泊はしたい。時間的に余裕が生じるので、サングラスの男の出方についても尾形から話が聞ける。

それによって、今後の方針を改めて決定することにもなる。いまは尾形と会うことが、理帆にとってすべてであった。いますぐ尾形に抱かれたいと、元麻布へ向かうタクシーの中でも、理帆は苛立《いらだ》たしさを何度か感じた。

尾形とのセックスを求めていると、理帆にもはっきりわかるような焦燥感であった。そのうえ現在の理帆は、犯罪者のように孤独なのである。

明日か明後日に、尾形から電話がかかる。二十八日には、二人で東京のホテルに泊まる。ホテルでは、気がすむまで尾形と愛し合える。それだけが、理帆の生き甲斐のようなものだった。

元麻布の花房邸についたのは、午後三時半であった。

理帆は通用門を抜けて、内玄関から家の中へはいった。今日は土曜日で、特別な用事や付き合いがない限り、敦夫も出社せずに在宅している。

「ただいま」

理帆は、無理に声を明るくした。

「お帰りなさい」

まるで待っていたかのように、養母の比呂子が理帆の目の前に現われた。

「仙台の笹かまぼこ、買い損ねちゃいました。ごめんなさい」

理帆は、靴を脱いで上がった。

「そりゃ、そうでしょうね」

比呂子が冷ややかな声で、皮肉っぽくそう言った。

「えっ……」

理帆は、比呂子を見やった。

比呂子は歩き出すこともなく、廊下に突っ立っている。怒っているように、顔のどこかが険しい。いつもの比呂子とは、別人のように感じが違う。

「盛岡へは行かなかったんでしょうから、仙台のおみやげを買うことなんて、できないのが当たり前だわ」

比呂子の顔には、苦笑いも認められなかった。

「どういうことなの、お母さま」

理帆は、息苦しくなっていた。

大学を中退して郷里の岩手県へ帰った親友のところへ行く、という嘘がバレてしまったことは覚悟しなければならなかった。

「これも別なものに、変わっているのね」

比呂子は、ボストンバッグを指さした。

3

理帆は比呂子の目を、正視できなくなっていた。

理帆には、返す言葉もなかった。出かけるときに持って出たものと、まるで違うボストンバッグを手にして帰って来た。そうした異常なことに、母親が気づかないはずはないのである。

そこまで考えなかった自分が愚かだったと、理帆は胸の痛みに耐えられなくなっていた。新しく買ったボストンバッグに五千万円を詰め込んで、尾形久彦に渡すべきだったのである。

どうしてそんな当たり前なことに、気が回らなかったのだろうか。理帆はみずからの初歩的なミスに、腹を立てていた。ドジ、間抜け、と自分を怒鳴ってやりたい。

だが、もはや手遅れであった。理帆は完全に、窮地に立たされたことになる。サングラスの男という不気味な疫病神に加えて、両親まで敵に回してしまったのだ。

「盛岡の佐野さんから昨夜、お電話があったわ」

比呂子は、佐野という理帆の親友の名前を口にした。

理帆は、無言でいた。そういうことだったのか、理帆は自分の不運を嘆きたかった。佐野ミドリはどうして、昨夜に限って電話をかけて来たりしたのか。

滅多に電話などかけてよこさないのに、まるで佐野ミドリに意地悪をされたようなものだった。いくら間《ま》が悪いとはいえ、あんまりではないかと理帆は悲しくなる。

「あら、理帆はそっちへ伺っているんじゃないんですかって、わたしのほうが驚いちゃったわ」

比呂子が、手を差し出した。

ボストンバッグを、求めているのだ。理帆に逆らう勇気はなく、ボストンバッグを比呂子に渡した。理帆は、ツキに見放されたという気分であった。

「いらっしゃい。お父さまが、待っていらっしゃるわ」

理帆に背を向けて、比呂子は歩き出した。

理帆は、そのあとに従った。敦夫が理帆の帰りを、待ち受けているということなのだろう。これから敦夫の質問に答え、嘘をついた罪に問われるのであった。

ますます絶望の壁が厚く、理帆を取り囲むことになる。急に歯車が噛み合わなくなったように、苦しい立場へと追いやられるのだった。一夜にして、運命が一変したような気がする。

比呂子と理帆は、二階の敦夫の書斎を訪れた。和服姿の敦夫が、書斎の中央のソファに腰をおろしていた。難しい顔つきで、葉巻をくゆらせている。

「理帆が、帰りましたわ」

比呂子が、夫に声をかけた。

「こっちへ……」

理帆へ目を向けたが、敦夫はニコリともしなかった。

敦夫と並んで、比呂子はソファにすわる。理帆はテーブルを挟んで、養父母と向かい合いに立った。裁判官に招かれた被告と、変わらない心境であった。

「ただいま帰りました」

理帆の声は、弱々しく小さかった。

「まあ、すわりなさい」

敦夫は葉巻を、灰皿に置いた。

理帆は、ソファに尻を沈めた。両親と対峙《たいじ》するような格好で、何とも奇妙な雰囲気だった。このようなことは、理帆にとって初めての経験である。

「出かけるときと違ったもので、新品のようです」

大事な証拠とばかり、比呂子がボストンバッグをテーブルのうえに置いた。

「そう」

敦夫はチラッと見やっただけで、ボストンバッグに手を触れようとはしなかった。

「嘘をついて、申し訳ありません」

理帆は泣きそうになりながら、素直に謝った。

詫びなければならない、という罪の意識はなかった。しかし、機先を制するように早々、謝ってしまうほかはなかったのだ。そうしないと、頭を下げるチャンスを逸することになる。

「嘘をついたこと自体は、冗談だと思えばそれですむことだ」

敦夫は、溜め息をついた。

「はい」

理帆は、膝に目を落とした。

「問題は、なぜ嘘をつかなければならなかったのかだ」

敦夫は、腕を組んだ。

「はい」

理帆は、うなずいた。

「なぜだ」

敦夫は声を、やや大きくした。

「えっ……」

咄嗟《とっさ》に答えが出るはずもなく、理帆は言葉に窮していた。

「どうして、嘘をつかなければならなかったのか」

敦夫の口調には、まだ険しさが感じられない。

「どうしてって……」

どんなふうに誤魔化すべきかを考えて、理帆は頭の回転を早めていた。

「答えにくいのかな。そうだとすれば、一緒だった人間が同性ではなかったからだろう。親には言えない相手と、旅行したんだからね」

敦夫は再び、葉巻をくわえた。

絶対に知られてはならないのは、阿佐見涼子を殺す計画である。それ以外のことは、秘密にする必要がない。恋人やボーイフレンドがいても、一向に構わないのだ。

ただ相手が、尾形久彦であってはまずい。富山県との関連だけは、何としても隠し通さなければならない。理帆の実父を殺した男の息子と交際していると知れば、敦夫も比呂子も半狂乱になって激怒するだろう。

恋人として架空の人物を作り上げれば、それで何とかなると理帆は思った。恋人がいることに関しては、何もビクビクする必要はない。恋人と旅行したと明言すればいいだろうと、理帆は開き直っていた。

「いきなりほんとうのことを言って、お母さまを驚かしてはいけないと思ったので、つい嘘をついてしまいました」

理帆は、頭を下げた。

「じゃあ、男性と一緒だったってことなのね」

比呂子が、口を挟んだ。

「ええ」

理帆は、比呂子へ視線を転じた。

「その男性っていうのは、理帆さんの恋人なの」

比呂子の驚愕の表情は、かなり激しい衝撃を受けたことを物語っている。

「ええ」

すぐにまた、理帆は目を伏せていた。

「理帆さんに恋人がいるなんて、まるで知らなかったわ」

比呂子の声は、うわずっていた。

「お付き合いを始めて、まだ日が浅いし……。わたし彼のことは、まだ誰にも話していないの」

理帆は無意識のうちに、演技をするようになっていた。

「お付き合いを始めてまだ日が浅い男性と、一緒に旅行したりするんですか。もうそんな関係になるなんて、理帆さんもずいぶん軽率なのね」

比呂子は、怒りを抑えきれなくなっている。

「そんな関係って、どういう意味かしら。わたしたち、男と女の関係なんかになっていませんからね」

処女でなくなったのは昨夜のことだと、理帆は自分の厚かましさにちょっぴり嫌悪感を覚えた。

「だって、二人で一泊旅行をしたんじゃないの」

比呂子は、顔を上気させていた。

「そういう考えって、古いと思うわ。男と女が二人で旅行すれば、深い仲になるものと決めてかかるなんて……」

理帆の演技は、より真に迫っていた。

「どこに、泊まったの」

比呂子は、質問を変えた。

「新潟市です」

理帆が正直に答えたのは、宿泊先に問い合わせると言い出されるのを恐れてのことだった。

「新潟市……」

「新潟のオークラホテルよ。そこに泊まったのは、わたしひとりですからね」

「連れの男性は、どこに泊まったの」

「自分の家よ」

「新潟に、家があるの」

「新潟が、郷里なんですもの。ご両親の住んでいらっしゃる家が、新潟市内にあるんです」

「その男性は、学生さんかしら」

「ええ、うちの大学の……」

「あなたと、年が同じなの」

「彼のほうが、一年先輩だわ」

「それで、その人とあなたは真面目にお付き合いしているのね」

「当然。だって、恋人なんですもの」

「結婚するつもりなの」

「そんなの、気が早すぎるわ」

「真剣に思っている恋人同士なら、結婚を考えるのが当たり前でしょ」

「結婚を考えるには、わたしたちまだ若すぎるでしょ。それに、彼がお婿さんに来てくれるかどうかとか、面倒なことがいろいろとあるじゃないの」

「じゃあ、現在だけの恋人ってことになるわね」

「そんなのじゃありません。その必要があるときには、将来のことも真剣に考えます。でも、わたしたちはまだ若くて学生なんだから、そこまで考える必要はないってことなの。もちろん、もう二、三年もこのままでいけば、結婚したい彼ですけどね」

「あなただって年ごろなんだし、恋人がいたからってお母さんも別に驚かないわ。お父さまにしたって、あなたが男性と交際したり恋人ができたりすることを、禁ずるなんておっしゃらないでしょう。でもね、男女関係はきちんとしたもので、建設的に真面目でなければ困るのよ」

「それに、花房家にふさわしい男性でなければ、いけないいんでしょ」

「できれば、そうあって欲しいわね。あなたと結婚する男性は花房家の人間として、お父さまの後継者になってもらわなければならないんですもの」

「よく、わかっています」

「お名前は……？」

「名前って……」

「あなたの恋人のお名前ぐらいは、知っておかないとね」

「唐沢正純さん。唐沢は、わかるでしょ。正純は、正しいに純粋の純」

理帆は、親しくしている実在の学生の名前を借りた。

「唐沢さんね」

比呂子は記憶に刻み込むように、天井へ目を向けた。

「正純って、いい名前でしょ」

理帆はやや、演技過剰になっていた。

「ご長男かしら」

比呂子はようやく、冷静な母親になったようだった。

「そう、長男よ。でも、弟さんが三人もいるみたい」

「お父さまの職業は……」

「建築屋さんですって。新潟で建設会社を、経営しているの。もっとも、下請け専門の小さな会社らしいわ」

「一度、お招きしたらどうかしら」

「わが家へ……？」

「わが家じゃなくたって結構よ。どこかでお食事を、ご一緒すればいいんじゃないの。四人で……」

「彼をお父さまとお母さまに、紹介するってことね」

「真面目にお付き合いしているんだったら、そうするのが常識でしょ」

「わかったわ、彼に話してみます」

緊張感が柔らぐとともに、理帆の身体から力が抜けていった。

これでどうにか、切り抜けることができたようである。少なくとも尾形久彦が、水面に浮かび上がることはなかった。比呂子の質問の矢を、巧みに躱《かわ》したという自信が、理帆の冷えた胸のうちを温めた。

それにしても、自分がかなりの大嘘つきであることに、理帆は後味の悪さを覚えていた。まるで、もうひとりの理帆がいるような気がする。

それとも、生まれつき嘘がうまいのだろうか。矛盾のない嘘が、次から次へと出てくるのだ。普段は正直でも、いざとなると嘘で固める才能が発揮されるのかもしれない。

だが、比呂子と違って敦夫のほうは、さっきより表情が厳しくなっている。敦夫には誤魔化しが通用しないのかと、理帆はにわかに不安になっていた。

「でも、理帆さん、ボストンバッグが別のものに変わっているのは、どういうわけなんでしょうね」

比呂子が、ボストンバッグを持ち上げてみせた。

その比呂子の問いかけは、理帆の胸にブスッと突き刺さった。そうだ、まだその件が残っていたのだと、理帆は再び緊張する。しかし、嘘つきの天才にも、簡単には答えられない。

「持っていたボストンバッグを、汚してしまったもんで……」

理帆自身、苦しい弁解だと思った。

「どうして、汚したの」

比呂子が、身を乗り出した。

「新潟で、雪解けのぬかるみに落としてしまって……」

理帆は比呂子よりも、敦夫の視線を恐れていた。

「それで、汚れたボストンバッグはどうしたの」

比呂子は言った。

「捨てたわ」

理帆は背筋に、悪寒を感じた。

「そんなもったいないことをするなんて、理帆さんらしくないわね」

比呂子は、納得した顔になっていなかった。

「嘘をついたのが問題だと言ったのに、理帆はまだ嘘をついているね」

敦夫が、新しい葉巻に火をつけた。

「えっ……！」

理帆は、表情を固くしていた。

「ボストンバッグを雪解けのぬかるみに落として、汚れてしまったから捨てた。代わりに、新しいボストンバッグを買った。と、この説明は全部、嘘じゃないのかな」

敦夫は、灰皿を引き寄せた。

「全部、嘘って……」

血の気が引いたためか、理帆の頬から首筋にかけて鳥肌が立っていた。

「理帆は阿佐見さんに、間垣愁介の絵を売ったね」

「ええ」

「間垣愁介の『午睡』に、理帆は五千万円という値をつけた。それでも安いっていうんで、阿佐見さんは喜んで買い取った。理帆の希望どおり五千万円を現金で支払ったと、阿佐見さんからは聞いている」

「ええ、そのとおりです」

「その五千万円を、理帆はどうしたんだろうね」

「それは……」

「貯金するんだったら、小切手でいいはずだ。ところが五千万円を現金で欲しいと希望したんだから、貯金したんだという言い訳は成り立たないだろう」

「実は……」

「どこかに寄付したなんて嘘は、調べればすぐにバレるぞ」

「いいえ、寄付なんかしていません」

「今度の旅行に、五千万円をそっくり持ち出したんだろうな。ボストンバッグに、現金を詰め込んで……」

「そうです」

「その五千万円を、いったいどうしたのか。ボストンバッグごとそっくり、誰かに渡したとしか考えられない。それで、理帆の旅行用具を入れるものがなくなってしまった。だから旅先で新しく、このボストンバッグを買った」

「はい」

「じゃあ、五千万円の現金をボストンバッグごと、誰に渡したのか。これまでの理帆の話を信ずるならば、唐沢正純君という恋人のほかにはいないということになる。しかし、唐沢君は学生の分際で、どうしてそんな大金を必要としたのか」

「実は新潟の唐沢建設が、倒産寸前にあって……」

「唐沢建設というのは、唐沢君のお父さんが経営する会社だね」

「そうです」

「その唐沢建設が倒産しそうだからって、社長が息子の恋人に援助してくれって泣きついたのか」

「いいえ、彼のお父さんは何も知りません。ただ彼からわが家は破産しそうだという話を聞いて、わたしが勝手にお役に立てばって申し出たんです」

「だけど唐沢君は、恋人が差し出す五千万円を、突っ返すこともなく受け取っている。その唐沢君の父親であればなおさらのこと、息子の恋人のお恵みを受ける気になれるだろうか」

「追いつめられれば、人間はワラをもつかみます」

「長年、新潟で建設業を営んでいれば金融機関に見捨てられようと、地元に顔が広くて大勢の知り合いがいる。それに、ひとつの会社が倒産するとなると、五千万円ぽっちではとても救われない。それなのに唐沢君は恋人が工面してきた金を、ありがたく頂戴したんだろうか」

「何かの足しにはなると、ホッとしたんじゃないんですか」

「だけどね、人間は五千万円も恵んでもらったら一生、その相手に頭が上がらなくなる。まして恋人であれば、結婚なんてできないだろう。唐沢君の目的が結婚よりも、五千万円にあるんだったら別だけどね」

「そんな……」

「それに、新潟の唐沢建設という会社が倒産しかかっているかどうか、調べさせればすぐにわかることなんだよ」

敦夫の最後の言葉は、理帆の弁明をまるで信じていないことを示していた。

「だったら、好きなようにしてください」

尻をまくったわけではないが、理帆にはそうとしか答えようがなかった。

比呂子と違って、敦夫は理帆の嘘を読んでいる。敦夫の気づいていないのは、尾形久彦の存在と殺人計画だけに違いない。それ以外の理帆の釈明については、大半を疑っている敦夫なのである。

サングラスの男と、変わらなかった。サングラスの男と敦夫によって、理帆は追いつめられることになったのだ。前門の虎、後門の狼、とはこのことであった。

これ以上は軌道が狂わないことを、理帆は切実な思いで祈った。

4

結論として、敦夫は理帆に謹慎を命じた。敦夫と比呂子に対して、嘘をついた罰だった。絵画の代金の五千万円は、理帆のものなので使い方は勝手である。恋人との交際も、禁じたりはしない。

問題はあくまで盛岡へ行くと両親を偽って、秘密裡《ひみつり》に行動したということにあった。それに対する罰として、敦夫は理帆に謹慎を申し渡したのだ。

年末年始の休みのあいだ、旅行はいっさいしない。

外出するときは行き先を明らかにして、夜の十時までに帰宅する。

外泊は、認めない。

こういう内容の謹慎だが、要するに理帆を監視するのであった。敦夫は唐沢正純なる男を、理帆の本物の恋人とは思っていない。理帆から五千万円を受け取った男は、まったくの別人と見ている。

その正体不明の男と理帆の接触を、妨げるのが敦夫の目的であった。まさか禁足を命じて、家から一歩も出さないというわけにはいかない。

そこで理帆の旅行と外泊を禁じ、外出にも制限を加える謹慎としたのだろう。この謹慎は、理帆にとって痛手だった。十二月二十八日、二十九日と東京のホテルで、尾形久彦とともに過ごすということも実行が不可能になった。

ホテルに、泊まることはできない。昼間から夜にかけては、尾形久彦と一緒にいられる。だが、そのあとは十時までに、帰宅しなければならなかった。

とにかく、尾形久彦からの連絡を待つことであった。世界中を敵に回したような孤立感が、理帆を精神的に牢獄《ろうごく》内の囚人としている。いまや尾形久彦のみが、すがれる神になっていた。

しかし、十二月二十六日の夜になっても、尾形久彦からの電話はかからなかった。

十二月二十七日の夜は八時から自分の部屋に引きこもり、理帆は手を合わせるようにして、電話機を見据えていた。九時をすぎ、九時三十分になる。やがて十時を回ったが、電話機は沈黙を守っている。

十一時まで待って、理帆はようやく諦めた。尾形は約束を守らないつもりかという疑惑が、ふと理帆の胸をよぎった。そんなことはあり得ないと、理帆はあわてて否定する。

尾形は五千万円を受け取って、殺人計画に加わることを承知したのだ。尾形は迷うことなく、処女である理帆と肉体関係を持った。更に尾形と理帆は、過去における殺人事件の加害者の息子に被害者の娘という深い縁で結ばれている。

いまになって尾形が、理帆の前から姿を消すといったことは考えられない。それに、五千万円を持ち逃げするような不誠実な尾形ではないと、肉体を通しての感情が理帆に確信させている。

十二月二十八日になった。

官公庁は御用納め、一般の企業も仕事を終える日だった。そう思うと、理帆は一段と不安感が増す。理帆は尾形の住所も、自宅の電話番号も知らされてなかった。

理帆のほうから連絡をとるとすれば、尾形久彦の勤務先しかないのである。その勤務先にしても、今日を最後に年末年始の休みにはいる。

理帆は、電話をかけてみることにした。

富山市の越興堂製薬の電話番号を、理帆は一〇四番に問い合わせた。代表番号のほかに、運送部への直通電話も調べてもらった。かなりの勇気を要することだが、越興堂製薬の運送部へ電話をしないではいられない。

「はい、運送部です」

電話には、無愛想な男の声が出た。

「恐れ入りますが尾形さん、いらっしゃいますでしょうか」

理帆の動悸が、痛いほど高鳴っていた。

「尾形ですか」

男の口のきき方は、相手を焦《じ》らすようにのんびりしている。

「はい」

どうか尾形がいてくれるようにと、理帆は目をつぶった。

「尾形でしたら、もうここにはいませんがねえ」

男の声と語調からは、年齢の見当がつかなかった。

「ここにはいないって、どういうことなんですか」

理帆は目を、大きく見開いた。

「辞めたんです」

男はシーッと、奥歯を鳴らした。

「辞めた……！」

頭を一撃されたように、理帆には何が何だかわからなくなった。

「退職したってことですよ」

「会社を、退職したんですか」

「あんた、どうかしているんじゃないの。退職したっていえば、会社を辞めたのに決まっているじゃないですか」

「いつ、退職したんですか」

「それが、急な話でねえ。昨日の午後になってから、退職しますって挨拶に回っていましたよ」

「昨日の午後……」

「今年いっぱいで、退職ってことなんでね。今日になったらもう、出勤なんてしませんよ」

「じゃあ、尾形さんは二度と顔を出さないってことですか」

「そうね。退職金だって銀行振込みだから、会社にはもう用がないでしょう」

「どうして急に、会社を辞めたりしたんですか」

「さあねえ。本人は一身上の都合って言い方をしていたけど、何か特別な事情でもあったんじゃないの。とにかく、ここ二日ばかりのあの男には、落ち着きがなかったもんね」

「いつもと、違っていたんですか」

「どこか、様子がおかしかったな」

「恐れ入ります。尾形さんのご自宅の電話番号、おわかりでしょうか」

理帆の声は、ひどく震えていた。

「ちょっと、待ってね」

男の声が、オルゴールに変わった。

大して待たされることもなく、再び電話に出た男が電話番号を理帆に告げた。その数字を理帆は、ノートの裏表紙に書き記した。理帆は、逆上気味でいる。冷静な思考力を欠いているので、理帆はすぐさま行動に出る。富山市への二本目の電話をかけることで、理帆は頭がいっぱいだった。

「尾形ですけど……」

意外にも、女の声が応じた。

尾形が電話に出るものと決め込んでいたので、理帆は面喰らった。若い女であることに、間違いはない。尾形には、家族がいないはずであった。

ひとりっ子だから、姉も妹もいない。母親の奈津江は、十年ほど前にこの世を去っている。

では、電話に出た女は何者か、理帆は、そうした判断力まで失っていた。

「尾形さん、いらっしゃいますか」

理帆は、ただ気が急《せ》いている女になっている。

「出かけていますけど……」

怒っているように、女は冷ややかであった。

「いつごろ、お帰りでしょう」

理帆は立ち上がって、部屋の中を歩き回った。

「どちらさま?」

女は逆に、質問した。

「今日中には、お帰りなんでしょうね」

理帆は、相手の言葉を無視した。

「そっちは誰かって、訊いてんじゃないのよ」

女は不意に、言葉を一変させた。

「尾形さんの知り合いです」

妙に度胸がすわっていて、理帆は少しも動じなかった。

「電話をかけて来たほうが、まず名乗るんじゃないの！」

女はヒステリックに、声を張り上げた。

「名前を申し上げると、何かと差し障《さわ》りがありますから……」

「偉そうなことを言うけど、ずいぶん失礼な女なんだね」

「とにかく、尾形さんに重大な話があるんです」

「東京から、電話をして来てんだ」

「だったら、どうなんですか」

「わかったわよ」

「何が……」

「尾形があちこちでペラペラくっちゃべっているらしいけど、尾形に夢中だっていう大資産家の令嬢ってのは、あんたなんでしょう！」

「とんでもない。尾形さんに対して、特別な気持ちなんてまるでありません。わたしはただ、尾形さんにお金を貸しているだけですけど……」

「お金だって……」

「大金です」

「大金を貸すっていうのが、尾形に惚れている証拠じゃないの！　大金を貸せるっていうんだって、大資産家のお嬢さんだからじゃないか！」

「好きなように、お考えください」

「いくら大資産家のお嬢さんでも、不倫となると思いどおりにはいかないわよ。何だかよく知らないけど、尾形にはわたしという女房がいるんですからね。あんたを殺してだって、尾形にはチョッカイを出させないってことを、肝に銘じておきなさいよ！」

女は乱暴に、ガチャンと電話を切った。

「そういうことだったの」

理帆は、つぶやいた。

電話の途中で察しはついたが、尾形久彦の妻だったのである。最初から尾形が独身だという証拠はなかったのだからと、理帆は感情的になるまいと自制した。

十代の男女だろうと、結婚するという世の中であった。まだ子どもとしか思えない男女が結婚して、一人前に子どもを作ることを許されている。二十四歳の尾形に、妻がいたとしてもおかしくはない。

そして尾形が独身であってくれという期待に、理帆はまったく縛られていないのだ。尾形と理帆との結婚はあり得ないと、初めからわかりきっている。

仮に双方に結婚の意思があったとしても、実現は絶対に不可能である。敦夫や比呂子はもちろんのこと、関係者全員が許さない。殺人事件の加害者の息子と被害者の娘が結婚するといったことは、道義に反する。必ずや破綻《はたん》を生ずる、との二つの理由から世間も認めようとはしない。

まして、尾形も理帆も二人の結婚を、望んではいないのだ。尾形は理帆に、単なる興味しか抱いていない。理帆のほうも、熱烈に尾形を愛してはいなかった。

いまの理帆には処女を与えた肉体の情と愛着から、尾形を求める欲望や未練がある。しかし、それにしても時間がたてば、遠のくものに違いない。

尾形と結婚したいとは、思っていなかった。むしろ殺人計画に、尾形を利用するという陰謀の方に比重が置かれている。阿佐見涼子を殺害して死体を始末すれば、そこには尾形と理帆の永遠の別離が待っていたはずなのである。

したがって尾形に妻がいたとしても、怒りや悲しみは感じない。理帆は失望もしないし、嫉《しっ》妬《と》することもなかった。ただし、尾形の裏切りには、激しい衝撃を覚えた。

「エヘッ……」

ベッドに倒れ込んで、理帆は自嘲的に笑った。

五千万円を、持ち逃げされた。

処女の身体を抱かせたのも、まるで無意味だった。

これが本物だと信じ込んだ尾形の正体が、かなり薄れて見えにくくなっている。このままでは、尾形の正体が消えることになる。まんまと騙《だま》されたことが、理帆には腹立たしかった。

しかし、尾形久彦が急に越興堂製薬を退職したのは、いったいなぜなのだろうか。理帆からの連絡を恐れて、会社を辞めた。五千万円とともに、行方《ゆくえ》をくらますつもりなのだ。と、そのような見方が、単純だが妥当であった。

尾形が落ち着きを失っていたというのも、それで納得がいく。五千万円を手に入れてからの尾形が、ビクビクしていたとしても不思議ではない。

ところが、理帆の目にはもうひとりの男の顔が浮かぶ。

サングラスの男であった。

十二月二十五日のうちに、サングラスの男は富山へ引き返している。サングラスの男は直ちに、尾形久彦と会うはずである。そこで尾形久彦に対し、サングラスの男はいかなる態度に出たのか。

「花房理帆という女に、会って来た」

「えっ……!」

「新潟から高崎までの新幹線の中で、花房理帆と話し合ったよ」

「それが、どうしたっていうんだ」

「お前さん、彼女から大金を受け取ったな。ボストンバッグに詰めた札束となると、かなりの金額だ」

「そんなこと、知るもんか」

「数千万円の受け渡しがあったのは、彼女とお前さんにどえらい企みがある証拠だ。数千万円の報酬となると、お前の仕事は殺しの主犯か共犯だな」

「冗談じゃない」

「何なら越興堂製薬のお偉いさんに会って、おれが見たこと聞いたことを残らずぶちまけてもいいんだぜ」

「ちょっと、待ってくれ！」

「さあ、どうする。まずおれの目の前に、ボストンバッグを出すことだ」

「わかった、とにかく話し合おう」

「それから、何を企んでいるのか吐くんだよ」

　このような尾形とサングラスの男のやりとりが、理帆の耳に聞こえてくる。もし空耳ではなくそれが事実だとしたら、尾形も理帆に連絡するどころではないだろう。

　東京のホテルに理帆と二人で泊まるなど、そんな遊びは夢に見るのがせいぜいである。尾形は、動きがとれない。富山市に、釘づけとなる。

　尾形に落ち着きがなくなったのは、そのせいかもしれない。尾形は何よりも、問題が会社に持ち込まれることを恐れた。だが、サングラスの男が越興堂製薬に乗り込む可能性は、十分にある。

それならば、退職金なしの懲戒解雇になるよりも、みずから申し出て退職したほうがまだマシだと尾形は考えた。それで尾形はあわてて、越興堂製薬を退職してしまったのではないか。

サングラスの男の狙いは、ボストンバッグの中身にある。しかし、無事に五千万円を手に入れるには、尾形の弱みをしっかりと握る必要があった。

そのためにサングラスの男は、尾形の口から殺人計画を吐かせようとする。あのサングラスの男にかかれば、尾形に勝ち目があるとは思えない。

尾形はサングラスの男に、理帆から持ちかけられた計画を話さずにいられなくなる。阿佐見涼子を殺す手筈《てはず》も、理帆のアリバイ偽装も、尾形の死体処理も、すべてサングラスの男の耳に伝わる。

「何もかも、ご破算か」

独り言を大きな声にして、理帆は室内に響かせた。

いっさいが、水の泡となった。五千万円を捨てて、尾形に処女をくれてやって、敦夫と比呂子の信用をなくして——と、理帆はマイナス点ばかりを背負った。馬鹿馬鹿しいくらいに、被害甚大である。

年内の理帆は、一歩たりとも家の外へ出なかった。午後十時の門限など、お笑い草であった。

理帆は自分の部屋に引きこもり、食事のときに養父母と顔を合わせる程度だった。十二月三十日には、黙々と大掃除を手伝った。

敦夫と比呂子は、不機嫌そうな理帆を気遣った。罰が厳しすぎたのではないかと、心配しているようである。理帆は敦夫や比呂子に、何の不満も感じていない。

だが、理帆は当然、憂鬱であった。東京のホテルで、尾形久彦と愛し合うことができなかった。それどころか、尾形には手ひどく裏切られたのだ。

その結果、阿佐見涼子の殺害計画も、中止せざるを得なくなっている。理帆は尾形と愛し合えない、阿佐見涼子への憎悪も発散できない、という二つの欲求不満にさいなまれることになるのであった。

新年を迎えた。

計画どおりならば、一月十八日に阿佐見涼子を殺害する。十八日後には、この世が清潔になるはずだったのだ。しかし、いまは『あと十八日しかない』と、言うほかはないのである。

尾形という唯一最適の協力者が、消えてしまった。新しい協力者を、ほかに求めることはできない。計画を練り直すにしても、十八日後までにはとても間に合わなかった。

尾形からは、一本の電話もかからない。このまま理帆が黙っているはずはないと、尾形も承知していなければならない。それなのに連絡もよこさないというのは、どうかしている。

五千万円を持って逃亡し、行方をくらましたのか。そうでなければサングラスの男に五千万円を取り上げられて、もう自分には何の責任もないと不貞腐《ふてくさ》れているか、そのどちらかなのだろう。

正月三日に、阿佐見涼子が花房邸を訪問した。年始の挨拶に来たのだが、阿佐見涼子はすでに酔っていた。年始回りのあちこちで、酒を飲んだのに違いない。

「まあ社長、今年もよろしくねえ」

「去年よりも、うんと可愛がってくださいな」

「花房さんのお顔を見ると、わたくしホッとするわ」

阿佐見涼子は甘ったるい声を出して、敦夫に媚びるような色目を使った。やたらと敦夫の身体に触ったり、しなだれかかったりする。

酔っているにしろ、それらが理帆には許せない。阿佐見涼子を生かしておくことに、やはり理帆は耐えられなかった。何とかしなければならない。自分ひとりでもいいから阿佐見涼子を抹殺しようと、理帆の決意は固まりつつあった。

第五章　意外な敗北

1

一月十六日になった。

日曜日である。敦夫と比呂子は、朝から出かけている。二日後の誕生パーティーの準備ということで、出席者全員に贈る記念品の選択に出向いたのだ。夕方には、帰宅するということである。

理帆ひとりが、留守番であった。理帆は依然として、一月十八日にこだわっている。計画どおりにいけば、この日に世の中がわずかながらも清らかになるはずだった。阿佐見涼子が、殺されて死ぬ。

残念なことだが、その計画は挫折《ざせつ》した。あれっきり、尾形久彦からの連絡は途絶えている。

もう尾形久彦との縁は、完全に切れたものと考えていい。

しかし、理帆の阿佐見涼子に対する殺意は、まだ消えてなかった。薄れてもいない。むしろ、殺意は炎となって燃え盛っている。どうしても涼子を殺さなければならないと、理帆は確信犯のような心理状態でいた。

敦夫の誕生パーティーに、阿佐見涼子を出席させたくない。出席を阻止するためには、一月十八日の午後六時までに涼子を殺さなければならなかった。

そう思うと理帆は、一月十八日の夕方という犯行日時にこだわらずにはいられない。計画どおり、一月十八日の午後五時半ごろに阿佐見涼子を殺害する。

だが、その一月十八日が、二日後に迫っているのだ。いったいどうすればいいのかと、理帆は焦燥感に駆られる。

食欲がないし、ひとりで食べる気にもならない。理帆は昼食抜きで、リビングのソファに寝転がっていた。そんなときに電話が鳴り、瞬間的に理帆を緊張させた。

「花房ですけど……」

気取った声を作って、理帆は電話に出た。

「佐野と申しますけど、理帆さんいらっしゃいますか」

相手もどこか、澄ました口のきき方をする。

「わたしよ。あなたもうこの美声を、忘れちゃったの」

理帆は、ソファに倒れ込んだ。

親友からの電話に、理帆は何となくホッとしたのだった。

「ごめん」

佐野ミドリは、ケラケラと笑った。

「どうも、明けましておめでとうございます」

「おめでとうございます」

「昨年中は、お世話になりました」

「本年も、よろしくお願いします」

「昨年中っていえば、去年のクリスマスイブにお電話をくださったでしょ」

「そうだったかしら」

「意地悪！」

「どうしてわたしが、意地悪をしたってことになるの」

「滅多に電話をくれないあなたが、クリスマスイブに限って電話をかけてくるなんて……！」

「それが、まずかったの」

「おかげで、わたしの秘密がバレてしまって、父と母から大目玉だったわ」

「秘密って……」

「盛岡へ、行きます。ミドリさんのところに、一泊します。父と母にはそう言って、一泊旅行に出かけたのよ。そうしたらその晩、あなたから電話がかって来てしまうんですもの」

「あらあ！」

「電話には、母が出たでしょう」

「道理でお母さま困ったような口調で、理帆は明日にならないと戻りませんっておっしゃったわ」

「まったく、人騒がせな……」

「ごめんなさい」

「まあ、悪いことをするための旅行じゃなかったんだから、構いませんけどね」

誰とどこへ旅行したのかと質問される前に、理帆は先手を打ってカムフラージュしておいた。

「でもね、そういうときには真っ先に口裏を合わせてくれって、わたしのところに連絡すべきじゃないかしら」

佐野ミドリは、不満そうに言った。

「だって、まさかクリスマスイブにお電話をくださるなんて、夢にも思わなかったんですもの」

理帆は、ふざけた口調で応じた。

「これからは、必ず事前に連絡してくれないと、わたしのほうだって困っちゃうからね」

佐野ミドリの声も、笑いを取り戻していた。

「もう二度と、秘密の旅行なんかしません」

「どうだか」

「いま、どこなの。盛岡っていう感じじゃないみたい」

「東京よ」

「東京へ、来ているの」

「ここは、どこでしょう」

「公衆電話ね」

「そう。ああ、仙台坂上ってあるわ」

「だったら、すぐ近くじゃないの。早く、いらっしゃいよ」

「でも、例の一件でお母さまと顔を合わせると、お互いに気まずい思いをするんじゃないかな」

「大丈夫。父も母もお出かけで、夕方まで帰らないわ」

「じゃあ、いまからそっちへ向かいます」

「五分後に、門の外に出ているわ」

理帆は親友の来訪を、心から歓迎していた。

「オーケー」

佐野ミドリは、電話を切った。

焦りを覚えながら、ひとり留守番をしているのは苦痛であった。退屈するだけではなく、むなしさの中で孤立感を嚙みしめることになる。

そんなところに佐野ミドリが現われれば、理帆にとっては大いなる救いであった。いろいろな意味で、気分がほぐれるだろう。しばし、明後日を意識せずに時間を過ごせるに違いない。

佐野ミドリは、ひとりだけの親友である。ミドリには、どんなことでも打ち明けられる。彼女に隠していることといえば、尾形久彦の存在と阿佐見涼子への殺意ぐらいではないだろうか。

佐野ミドリは、さっぱりした性格の持ち主だった。陽気で笑い上戸で、自己中心性をまるで感じさせない。推理小説ファンで、ほかにカラオケが好きであった。

そんな佐野ミドリと、理帆は妙に馬が合う。双方ともに、気が置けなかった。安心して、話ができる。そういうことから、親友同士という関係が成り立つ。

その程度の相手なら簡単に見つかりそうだが、これが滅多にいないのである。だからこそ、親友なるものには稀少価値ありといえるのだろう。

とにかく、信頼できる。正直なところ尾形久彦などよりはるかに、計画の協力者として選びたい佐野ミドリであった。しかし、殺人計画となるととても不可能なので、理帆もそこまではミドリに打ち明けなかった。

門の前に立って間もなく、理帆の視界に佐野ミドリの姿が現われた。ミドリが花房家を訪れるのは、もちろん初めてのことではない。ミドリは仙台坂上から七百メートルほどの道を、迷わず歩いて来たのだった。

髪がボーイッシュに短く、顔に化粧っ気もない。着ているものは上下ともジーンズで、そのうえに黒いコートを重ねている。ボストンバッグと、一冊の本しか持っていない。地味を通り越して、少年と見間違えそうであった。

理帆は佐野ミドリを、リビングに案内した。リビングには、十分にエアコンの暖房が利いていたからだった。それに、打ち解けて話し合える客には、リビングが最も向いている。

理帆とミドリは、紅茶を飲みながら雑談のときを過ごした。食べることは、無用であった。喋っていたほうが、楽しくて夢中になれる。たちまち、二時間が経過する。

「相変わらず、推理小説なんでしょ」

理帆はふと話題を変えて、ボストンバッグのうえに置いてある書籍を指さした。

「これは小説じゃなくて、エッセー集なの。それも、翻訳ものよ」

ミドリは、厚みのある単行本を手にした。

「アメリカの作家かしら」

理帆は、本の表紙の『完全犯罪』という題名に注目した。

「そうみたいだけど、初めて見る名前じゃないかな」

ミドリの顔立ちは女っぽくて、特に目が可愛らしく魅力的だった。

「おもしろいの？」

完全犯罪というタイトルに、理帆は興味を抱かずにいられなかった。

「盛岡から新幹線の中で、読みっぱなしだったわ」

「でも、どうせ完全犯罪なんてあり得ない、という否定論なんでしょ」

「そうでもないんだな。殺人の実例を分析して、犯人のエラーがここにあったと指摘しているの」

「実際に起きた犯罪を、教材として使っているのね」

「全部、事実なの。それも、完全犯罪を狙った犯行ばかりを選んでいて、犯人の計画性についても詳述されているわ。だから、おもしろいんでしょうね」

「じゃあ、完全犯罪を計画した犯人の失敗談ってところね」

「そうよ。完全犯罪を、否定してはいないの。もし犯人がこういう失敗をしなければ、完全犯罪は成立していたはずだって著者は主張しているの」

「人間に、失敗は付きものだ。完全犯罪はあり得ても、犯人が無意味な失敗をすることで、水泡に帰してしまう。著者は、そう言っているんでしょう」

「まさに、そのとおり」

「完全犯罪を目論みながら、間の抜けた失敗をするのね」

「それも、やらなくていいことをやるという失敗談が多いみたい」

「完全犯罪をいっそう完全なものにするために、余計なことまで計画に加えたりするんでしょう」

「そうなのよ。そういうところが滑稽でもあって、人間の哀れさってものを感じてしまうわ」

「あなたが、好きそうな話ね」

「東京駅についたと同時に読み終えたのも、アリバイにこだわりすぎた犯人の例なんだけど……」

「聞かせて！」

「登場するのは、AとBとCなの。Aという男性が、完全犯罪を計画実行する主犯。Bは女性でAの愛人、そしてCの妻、これが共犯者なの。Cはもちろん男性で、Bの夫であり被害者になるわけよ」

「AとB子は不倫な関係にあって、B子の夫のCが邪魔になったのね」

「それが、そうじゃないの。B子にはほかに、どうしても結婚したい男性がいたのよ」

「Aのほかにも、真剣な恋愛の相手がいたってことなのね」

「そうなの。それでB子は夫のCと、何としてでも別れたかったんだけど、Cは頑として離婚に応じない。そのためにB子は、夫の殺害を考えるようになった」

「うん」

「そんなある日、ふらっと町を訪れた風来坊がAだったわけ。B子はAを路上でハントして、町はずれの林の奥に停めた車の中で肉体関係を結ぶ」

「B子は色仕掛けで、Aに殺人を依頼したのね」

「B子は哀願して、夫を殺してくれるようにとAに頼む。Aは完全犯罪ということに好奇心を抱いて、ゲームを楽しむような気持ちであっさり話に応じた。それも報酬は、たったの千ドル」

「千ドルで、殺人を引き受けたの」

「完全犯罪をゲームとして楽しむっていうんだから、Aはどこか異常ね」

「絶対に、おかしいわ」

「とにかくAは、完全犯罪を計画する。ところがAは計画の中で、自分とB子のアリバイというものに、ひどくこだわるようになるのね」

「うん」

「Aの頭には、完全犯罪には完璧なアリバイが不可欠という考え方が、しみついていたらしいの」

「うん」

「それでAは、Cの死体を遠くへ運んで遺棄することを、B子の仕事としたのよ。町から二百キロ離れた中都市に、B子の叔母一家が住んでいた。その叔母さんのところにB子は電話を入れて、二月十五日の夜、お伺いしますと伝える」

「うん」

「二月十五日の宵の口に、AはCを自宅で絞殺する。そのCの死体をトランク・ルームに詰め込んだ車を運転して、B子は二百キロ離れた叔母さんの家へと向かう。間もなく二百キロを走りきるというところで、B子はCの死体を道路から崖《がけ》の下の砂浜へ投げ捨てることになる」

怪談を聞かせるように、ミドリは不気味な語り口になっていた。

「うん」

理帆のほうは、口数が減っている。

理帆はまったく別な意味で、薄気味悪いものを感じていたのだった。ミドリの話が何となく理帆の計画と、共通していることに気づいたのである。

性別は逆だが、Aという男が理帆。

B子が、尾形久彦。

Cという男が、阿佐見涼子。

B子はCの死体を、遠くまで運んで遺棄する。

理帆の計画では、尾形久彦が阿佐見涼子の死体を遠くまで運んで、山林にでも埋めることになっていた。

偶然にしろそうした符合が、理帆にとっては不気味であった。

「一方のAはCを殺したその足で、町の唯一の社交場といわれる店へ行き、そこで夜遅くまで飲んだり食べたり踊ったりして、とても目立つように振る舞ったの」

ミドリは、冷たくなった紅茶で喉を潤した。

「それはAのアリバイを、強調するための行動でしょ」

この点もよく似ていると、理帆は思った。

計画によると尾形が死体を運び去ったあと、理帆は大急ぎで帰宅して敦夫の誕生パーティーに顔を出すはずだった。これも理帆のアリバイを印象づけさせるために、計算された行動である。

「そうだったんだけど、この本の著者の分析ではそれこそが完全犯罪をぶち壊した余計な工作、ということになるのよ」

ミドリは、笑いを浮かべた。

「Cの死体は、すぐに見つかったの」

理帆は熱っぽい眼差しで、ミドリを見やった。

「翌朝、発見されたわ」

「死体を二百キロ先まで運ぶことは不可能だというアリバイが、Aにはあるわけでしょう」

「でも、Cの車というのが付近に停めてないんだから、殺されたうえで現場へ運ばれて来たものとわかるわね。それで、Cを殺害した第一現場は、自宅だって推定されるわ。そうなるとCを殺害したときのAのアリバイは、完璧じゃないってことでしょ」

「そうか」

「B子は二百キロ離れた叔母さんの家を訪れているけど、これだって完璧なアリバイにはならないわ。それどころか、B子の夫のCの死体が遺棄された場所は、叔母さん一家が住んでいる都市からさして離れていない。警察は当然、B子が叔母さんの家に向かう途中で運んで来た夫の死体を、遺棄したのに違いないと見るでしょうね」

「それで、まずB子に疑いがかかった」

「でも、警察は頭を抱えた」

「どうしてなの」

「B子が、夫を殺す動機よ。それが、どうしてもわからなかった」

「B子の恋人っていうのは……」

「遠い遠いニューヨークに住んでいるし、彼とB子の仲はプラトニックだった。だから、二人の純粋で真剣な愛の関係は、当人たち以外に知っている人間がいなかったのよ。そういうわけで、CとB子の夫婦仲が冷えきっていて、B子が離婚を望んでいたってことさえ、町では噂にもなっていなかったわ」

「そうなると確かに第三者には、B子がCを殺す動機なんて読めないわね」

「Aという風来坊とB子の関係だって、誰ひとり知らなかったのよ。Aは町を通りかかった他所者《よそもの》にすぎないし、B子と殺人を共謀するような接点があるなんて、想像もつかなかったんでしょうね」

「だけど結局は、Aも逮捕されたんでしょ」

「ええ」

「B子が、自供したの」

「B子はAのことを、最後まで口に出さなかったみたい」

「じゃあ、どうして警察はAに、目をつけたのかしら」

「町の保安官がね、通りすがりの他所者があの晩に限って、なぜ大勢の町民の前で目立つように派手な騒ぎ方をしたのかって、怪しんだことがキッカケになったのよ」

「そういうことなの」

「これで、わかったでしょ」

「何が……」

「完全犯罪を狙う犯人は完全主義者になりすぎて、そのために無用な小細工や余計な工作を計画に組み入れる。と、こういう著者の分析、そして言い分よ」

「つまり、アリバイ工作が命取りになったということね」

「著者は、こうも書いているわ。もしAがアリバイなど問題にしなかったら、この殺人は完全犯罪になり得ただろう。なぜならば、Cを殺す動機が不明なために、犯人を特定できなかったからである。それなのにAはアリバイにこだわり、みずから完全犯罪の足を引っ張って、墓穴を掘ることになったのであるって……」

「アリバイなんて、初めから必要なかったんだわ」

「そうよ。アリバイを重視したことから、Cの死体を遠くへ運んで遺棄しようと考えた。その死体の運搬と遺棄が、AとB子に致命的な失敗を招いたのよ」

「やらなくてもいいことをやって、完全犯罪をパーにしたのね」

「あれこれと工作をするよりも自然体で臨むのが、完全犯罪への近道になるだろう。そういう言葉で著者は、このAとB子の話を結んでいるわ」

ミドリは何回か、手で本の表紙を叩いた。

「なるほどねえ」

いい教訓になったという思いもあって、理帆は感心せずにいられなかった。

2

町の中の被害者宅で、AはCを絞殺する。そのあと指紋などの痕跡を残さずにCの家を抜け出し、Aは町を立ち去ればよかったのである。

B子には、確かなアリバイが必要だった。B子は実行犯と違うので、アリバイはいくらでも作れる。二百キロ離れた叔母の住まいを訪れるといったことは、愚かにして非常に馬鹿げている。

B子は町にいて、大勢の顔見知りが集まっているところで数時間を過ごせば、それで十分なのであった。その間に、夫のCが自宅で殺される。

だが、B子にはアリバイが成立する。しかも、B子には夫を殺す動機がない。そういうことB子は最後まで、疑われずに終わったはずである。そういうことでB子は、事件に無関係と見なされる。

AとB子の接点も、まったく知られていない。目立つことさえしなければ、Aの存在にも気づかない町民が多かっただろう。Aはあくまで、町を素通りした他所者にすぎなかった。

そんなAが、Cを殺したりするはずはない。殺しの動機もないし、町の人々は立ち去った他所者のことを忘れている。おそらくAは町の人々に、思い出されることもなく終わっただろう。

これぞ、完全犯罪である。

Cを殺した犯人は、永久にわからずじまいであった。Aは自然体を重んじた極めて単純な方法で、完全犯罪に百パーセント成功したのに違いない。

しかし、余計な小細工を施したことで、Aは完全犯罪に失敗した。余分な薬を服用したために、完治することになっていた病気が悪化したのと変わらない。

すでに完全犯罪を成し遂げているのだから、そのうえアリバイなどというものはまるで不要だった。それなのに、Aはアリバイ工作を付けたした。それが逆に、AとB子が浴びる照明となってしまった。

その結果、B子が取調べを受けることになり、次いでAが逮捕される。AとB子は完全犯罪の成功者なる山の頂上から、殺人犯という谷底へ一気に転げ落ちたのである。

「今日、泊まっていらっしゃいよ」

自分も予期していなかった言葉が、理帆の口から飛び出した。

「どうしたの、いきなり……」

佐野ミドリは、苦笑した。

「ねえ、大丈夫なんでしょ」

理帆は、立ち上がっていた。

「まだホテルも予約していないし、泊めていただくことに不都合はありません」

ミドリは、全身でうなずいた。

「じゃあ、決まりだわ」

「どうせ今日は、日曜日で動きがとれないでしょ。上京の目的となっている用事は明日、片付けようって初めからそのつもりでいたの」

「それで、盛岡へは……」

「明日の夕方には、新幹線に乗る予定でいるわ」

「忙しいのね」

「これでもいちおう、代表取締役ですから……」

「お見それしました」

「ただねえ」

「何なの」

「お母さまにお目にかかるのが、照れ臭いやら気まずいやらで困っちゃうわ」

「あなたは何も、悪いことをしていないんですもの。ケロッとしていれば、それですむことだわ。父も母もわたしが嘘をついたことには、二度と触れようとしないしね」

「だったら、ケロッとしていればいいのね。そのケロッとした顔っていうのが、また難しいんだけど……」

「自然体でいいのよ」

「完全犯罪を、目ざすのね」

「そう」

「でも、急に泊まっていけなんて言い出したりして、やっぱり気まぐれなお嬢さまなのねえ」

「たまにはベッドじゃなくて、和室に敷いたお布団で寝てみたくなるのかしら」

「それも、お嬢さまのわがままだわ」

理帆を軽くにらんで、ミドリは下唇を突き出した。

「滅多に、会えないんですもの。お布団にはいってお喋りするのも、楽しいんじゃないかしら」

理帆は、悪戯っぽく笑った。

もちろん、本心は違っている。理屈を抜きにして、理帆は無性に寂しかったのだ。ひとりになりたくないと、孤独感に包まれることを恐れていた。

それで理帆は間もなく親友と別れるのが、何となく不安だったのである。そのために理帆はふと思いついて、ミドリに泊まっていくことをすすめたのだろう。

では、どうしてそのように、理帆は寂しさを覚えたのか。あえてその理由を求めるならば、理帆が単独で阿佐見涼子殺しを実行すると、決断を下したことにある。

その決断は、ミドリから聞かされた完全犯罪の話に、触発されてのことであった。完全犯罪に失敗したAは、よく似ているどころか理帆と変わっていない。

いや、Aと同じ轍《てつ》を理帆が踏もうとしたと、言ったほうがいい。世間一般の常識からすれば、理帆に阿佐見涼子を殺す動機はない。理帆が涼子を殺したと明らかになっても、これは動機なき殺人だと世の中の人々は納得しかねる。

そのくらい涼子殺害と、理帆は結びつかない。敦夫や比呂子も、理帆が涼子への殺意を抱いているとは思ってもみないだろう。誰よりも当の阿佐見涼子からして、理帆に殺されることなど信じたりはしない。

阿佐見涼子が、他殺死体となって発見される。その犯人として捜査当局が果たして、理帆という資産家の令嬢に目をつけるだろうか。そんなことは、絶対にあり得ないと断言できる。

阿佐見涼子と理帆のあいだには、捜査当局の思惑が走るようなレールが敷かれていない。利害損得、怨恨、口封じ、そのほかの殺さなければならない理由というのが、泡のようにも浮かび上がってこないのだ。

理帆は、その時点にロンドンにいたイギリス人と同じくらいに、涼子殺しに無関係ということになる。捜査当局に限らず日本人のすべてが、理帆を疑うことにはならないだろう。

その理帆が、涼子を殺す。

指紋をはじめ足跡、毛髪、遺留品といった証拠になる手がかりを残さず、目撃されることもなく理帆は阿佐見邸を抜け出す。

そうすれば、すでに完全犯罪が成立したことになるのだ。

それ以上に、付け加えることは何もない。理帆は落ち着いて、帰宅すればよかった。敦夫の誕生パーティーに顔を出して、自分の存在を印象づけることもない。

理帆のアリバイは、問題にもされないのだ。理帆のアリバイの有無を調べようと、いったいどこの誰が考えるだろうか。問題にされないアリバイならば、何も作る必要はなかった。

アリバイを無視していいとなると、涼子の死体を遠方に運ぶことも尾形という共犯者も、最初から無用だったわけである。この点がアリバイにこだわったAと、そっくりそのままの理帆であった。特に尾形を共犯者にしたことは、このうえない大失敗といえる。

何の価値もない品物を、大金を支払って買ったのと変わらない。

しかし、いまになって理帆はアリバイ工作も共犯者も、不必要だということを知った。それならば理帆ひとりでも、完全犯罪としての涼子殺害が可能であった。

そこで理帆は単独で涼子殺しを実行しようと、決断を下したことになる。

決行の日は計画どおり、二日後に迫っている一月十八日とする。そう自分に言い聞かせたとき、理帆の胸のうちがすっきりした。イライラすることがなくなり、気分が晴れやかになった。

だが、理帆は一方で自分ひとりが殺人者になる恐怖と孤独感に、周囲の人間たちが霧の中に没するように遠ざかっていくのを感じた。いまはまだ逃げないでくれと、理帆は親友にもすがりつきたかった。

そうした思いが、泊まっていきなさいよというミドリへの誘いの言葉となったのに違いない。今日と明日は楽しく過ごしたいと、理帆の胸には悲壮感に似たものが湧いてくるのである。

完全犯罪を成し遂げるなら、もっと平然と構えていなければならない。それが、維新前夜のような心境になっている。恐ろしさに耐えられないのであれば、犯行を中止すればいいのだ。

しかし、一月十八日には必ずこの世の空気を清潔にしよう、という理帆の決意に変化は生じない。翌日になると、理帆は更に緊張した。感傷的にもなっているのか、佐野ミドリと別れるときの理帆は涙ぐんでいた。

そして一月十八日、いよいよ当日を迎えることになる。

電話が、鳴っている――。

何度もそう思ってから、理帆は目を覚ました。理帆は、起き上がった。ガラス戸や窓にシャッターが降りているので、部屋の中は真っ暗である。

電気をつけて、時計を見る。七時を、時計の針は指している。朝の七時であった。電話機に目をやったとき、理帆の背中を戦慄《せんりつ》が走った。

鳴っているコードレスの電話は、理帆専用だった。したがって、電話番号を教えた相手の数が、極く少数に限られている。その中には、尾形久彦も含まれていた。

こんな時間に電話をかけてくる人間は、尾形久彦のほかに思いつかない。尾形からの電話だと、理帆は確信した。理帆は、嬉しくなかった。

いまさら、連絡をもらっても仕方がない。尾形はすでに無用な男と理帆の心の整理もついているし、かえって迷惑であった。理帆は驚いたあと、戸惑いを覚えた。

いずれにしても、電話には出なければならない。理帆はベッドに腰かける格好で、電話機を手にした。動悸が激しくなり、理帆は息を吐いた。

「もしもし……」

理帆は、低い声で応じた。

「理帆さんだね」

男の声だが、尾形久彦ではない。

「どちらさまですか」

理帆には誰の声なのか、すぐには思い出せなかった。

「おれだ」

男の声が、そう答えた。

「あなたは……！」

理帆は、愕然となった。

『おれだ』の一言で、相手の正体がわかったのだ。新潟のホテルと上越新幹線の車中に現われたサングラスの男、あの気味の悪い謎の人物に間違いなかった。

「おはよう」

男は、とぼけた挨拶をした。

「どうして、この電話番号を知っているんですか」

はっきりした理由もなく、理帆は激しい怒りを覚えていた。

「尾形から聞いた」

「尾形さんはあなたに、そんなことまで喋ったんですか」

「あいつは、何もかも白状した。だから、あんたの殺人計画についても、おれは詳しく知っている」

「何ですか、殺人計画って……」

「計画では一月十八日すなわち今日、阿佐見涼子を殺害することになっていた」

「馬鹿馬鹿しい」

「どうなんだ。死体遺棄を引き受けた尾形が消えたからって、計画は全面的に中止となったのか」

「そんなこと、知りません」

「それとも、あんたひとりで決行するつもりか。そのことも知りたくって、朝早くから電話したんだ」

「そんなことに、答える義務なんかないでしょう」

「もっとも尾形は、最初からアテにならない男だった。あいつには、人殺しに協力する気なんてなかった。尾形の狙いは、あくまで金だった。あんたから大金をせしめて、あとはサヨナラを決め込むつもりでいた。あんたは初めからひとりで阿佐見涼子を殺すべく、運命づけられていたってわけだ」

「あなたの名前を、教えていただきたいわ」

「尾形の話によると、あんたの殺意には異常なものが感じられるそうだ。阿佐見涼子を殺さなければならないという執念に、あんたは燃えている。それでいて、阿佐見涼子を殺す理由には具体性がまるでない。常識では考えられない殺意だし、世間も殺人の動機として認めないだろうってね」

「尾形さんが、そう言ったんですか」

「だから阿佐見涼子を殺しても、あんたが疑われることはあり得ない。つまり、アリバイ工作のために死体を遠くまで運んで埋めるなんて、そんなことをする必要はまったくない。それなのに、おれに死体遺棄の役目を頼み込んで五千万もよこすんだから、やっぱりお嬢さんだねえって尾形は感心して首をひねっていた」

「そうですか」

「そうなると、あんたひとりでも阿佐見涼子殺しは決行できる」

「名前を、教えてください」

「ただし、あんたにとっても、ひとつだけ問題がある。殺人計画をすべて、尾形に知られているってことだ。阿佐見涼子が殺されれば、あんたが犯人だってことを尾形は百も承知でいる。その尾形が果たして、沈黙を守ってくれるか。それとも、警察に密告するか。あるいは、あんたを脅迫するかって、ずいぶん迷ったんじゃないのか」

「いい加減にしてください」

「しかし、あんたが逮捕されれば、尾形も無事にはすまない。そうとわかっているから、尾形は沈黙を守るに決まっている。と、あんたはそうした結論に到達して、阿佐見涼子殺しをやってのけようと決意したんじゃないのか」

「知りません！」

「だったら、あんたは甘い。おれの判断では、沈黙を守るような尾形じゃない。そうかといって、警察に密告するようなこともしない。あいつは大金を絞り取ろうと、あんたを脅迫する。

尾形も、やつの出来の悪い女房も、金のことしか考えない人間だ」

「名前を教えようとしないんでしたら、電話を切ります」

「だけど、いまはもう大丈夫だ。尾形はもう、この世に存在していない。あいつは、永遠に沈黙を守る。あんたも安心して、阿佐見涼子を殺せるよ」

「この世に存在しないとは、どういう意味ですか」

「死んだってことに、決まっているじゃないか」

「ええっ……！」

理帆は、絶句した。

あまりにも意外なことを聞かされて、理帆は気が動転する。頭に、血がのぼる。一瞬、思考力を奪われた。呼吸が、とまりそうになっている。

「おれも沈黙を守るから、心配しないで阿佐見涼子殺しを決行すればいい」

サングラスの男は言った。

「尾形さんが死んだなんて、嘘に決まっています」

理帆には、どうしても信じられない尾形久彦の死であった。

「おれは、無意味なことが嫌いだ」

サングラスの男は、声も口調も冷ややかだった。

「だったら、あなたが尾形さんを殺したんでしょ！」

理帆は、肩で息をしていた。

「同じことを、言わせるな。あんたと違って、無意味なことは絶対にやらないのが、おれの主義だ」

サングラスの男は、やや声を険しくしたようである。

「じゃあ、いつ、どこで、どうして尾形さんは死んだんですか！」

理帆は、叫ぶように言った。

「それをあんたに詳しく説明しようと、おれは東京へ来ている。午後三時に、東京プリンセス・ホテルの玄関前で落ち合おうじゃないか」

サングラスの男は、そこで電話を一方的に切った。

理帆は、茫然となっていた。理帆には、どうしていいのかわからない。急に勇気を失ったように、気持ちが萎《な》えてしまった。立ち上がる気力もなく、理帆は肩を落とし頭を垂れている。

内線電話で朝食は要らないと、比呂子に連絡しなければならない。寒いからリモコンで、暖房にスイッチを入れる。理帆にできるのは、それぐらいのことだった。

着替えもしないで、理帆はパジャマ姿をベッドに横たえる。目を閉じたが当然、眠れるはずはない。どうすべきかを、ただ漫然と考える。午前中は、そうした半病人のような理帆でいた。

大学の講義にも、出席しなかった。阿佐見涼子を殺すのか殺さないのか、今夕まで時間がない、という声が理帆の頭の中を駆けめぐる。

理帆は、狂おしい気持ちにさせられた。とにかく、サングラスの男と会ってみなければ答えは出ないと、理帆はベッドから転げ落ちた。それが、半ばヤケになっての結論であった。

理帆はブルーのスーツと、同色のコートを着ていくことにした。バッグと靴は、黒だった。

理帆は、午後二時半に家を出た。昼食もジュースを少し飲んだだけである。

狸坂《まみざか》で、タクシーに乗った。元麻布から芝の東京プリンセス・ホテルまで、大した距離ではなかった。皮肉にも尾形久彦と二人で泊まる予定だった東京プリンセス・ホテルで、サングラスの男と待ち合わせるということになるのであった。

東京プリンセス・ホテルについた。理帆は、タクシーを降りる。見覚えのある男の姿が、理帆の目にクローズアップされた。今日もまたスーツとコートが黒で、サングラスをかけている。

サングラスの男が、ついてこいと言わんばかりに歩き出す。理帆としても、そのあとを追うほかはない。サングラスの男は、駐車場へ通ずる横断歩道を渡った。

3

広い駐車場には、多くの乗用車が並んでいる。サングラスの男は、迷うことなく足を進める。あとに従う理帆を、一度も振り返らなかった。

やがて男は、立ちどまった。大型の乗用車の運転席に近づき、サングラスの男はドアをあける。外車ではないが、国産として最高級の乗用車である。

サングラスの男は、運転席に乗り込んだ。ドアのロックをはずし、ヒーターを入れる。理帆も黒塗りの乗用車の車内に、はいらなければならなかった。

そうしなければ、ここへ来たことの意味がない。当然、助手席は敬遠する。理帆は、後部座席のドアを開いた。男の斜め後ろの席に、理帆は腰を落ち着ける。

「ドアが、あけっぱなしだ」

サングラスの男は、運転席でコートを脱いだ。

ドアを締めきることに、理帆は不安を覚える。後部座席は後ろのガラスにも側面の窓にも、レースのカーテンが引かれている。そうした車という密室の中で、正体不明の男と二人きりでいるのが恐ろしかったのだ。

しかし、ドアを開いたままにしておくと、通行の邪魔になる。それに、冷たい風が吹き込んでくる。ヒーターの効果もなく、寒さを感じる。

「どこかへ、行くんですか」

理帆は、音を立ててドアをしめた。

「行くとすれば、高輪の伊皿子だろう。阿佐見涼子の自宅さ」

サングラスの男は、背中で答えた。

「それよりもまず、あなたが何者なのか説明してもらいましょう」

緊張感もあって、理帆は身震いした。

「先に、これを読んだほうがいいんじゃないのか」

男は理帆の膝のうえに、新聞を投げてよこした。

理帆は、新聞を広げた。地方紙といわれるが、富山県内だけに販売される新聞だった。自殺となると、地元紙で報道される。全国紙の記事にはならないので、理帆も尾形久彦の死に気づかなかったのである。

社会面に、小さな記事が載っている。それによると、尾形が自殺したのは一月九日の夜ということだった。尾形は富山市内の友人のマンションを訪れ、十二階の部屋のベランダから飛び降りたらしい。

尾形は、即死した。友人たちの目の前で、ベランダの柵《さく》を乗り越えたのだ。したがって、自殺であることに間違いはない。遺書は見つかっていないが、金銭によるトラブルから妻と激しく口論して、それが原因で衝動的に自殺を図ったものと推定されている。

「とても、信じられません」

理帆は、青い顔になっていた。

「尾形は、殺されたんじゃない。紛れもなく自殺だってことは、新聞の記事でわかっただろう」

サングラスの男は、背もたれに寄りかかった。

「直接、手を下さなかっただけでしょう。でも、尾形さんを自殺に追い込んだのは、あなたに決まっています」

「尾形がおれにすべてを告白したのは、去年の暮れだった。やつはそれから、十日以上も生きていたんだぞ」

「尾形さんが勤め先を辞めたのは、どうしてなんですか」

「やつは富山から、消えるつもりだったのさ。もちろん五千万円を、持ち逃げするためだ。やつは大阪で一旗揚げようなんて、甘い幻想に惑わされていたらしい」

「だったら、きちんと退職したりしないで、さっさと行方をくらますんじゃないんですか」

「女房に怪しまれるのを、恐れたんだろう。やつはもっと金になる働き口を見つけたから、いまの会社を退職するって女房に言ってあったんだ」

「金銭によるトラブルがあって、奥さんと激しく口論したっていうのは……」

「あの女房は、金のことしか頭にないろくでなしだ。金がらみのことになると、人間じゃなくて狼になる。スッポンみたいに、執念深い。あの女は大金が手にはいるとなれば、親だって殺しかねない」

「お金のことで、どういうトラブルがあったんですか」

「例の現金五千万円を詰め込んだボストンバッグ、やつの女房はどうも中身が金じゃないかって疑っていたようだ。そんなとき、あんたから電話がかかった」

「奥さんとは一度だけ、電話で話したことがあります」

「十二月二十八日だろう」

「ええ」

「あんたその電話で尾形の女房に、やつに大金を貸してあると言った。尾形の女房は、あんたが言う大金とボストンバッグの中身とを結びつけた」

「これで間違いなく、ボストンバッグの中身は大金だって思ったんですね」

「女房は欲と嫉妬から、怒り狂って尾形を問い詰めた。尾形はボストンバッグを持って、アパートを逃げ出した。やつはその足で、おれのところへやって来た。いったい、どうしたらいいんだってな」

「それで……？」

「やつは、すべてを告白したよ。おれの前で、何もかも白状したんだ」

「あなたは、どうおっしゃったんですか」

「おれには、許せないことだ。それでおれは、やつに言ってやった。殺人計画に乗ったように見せかけて、五千万円を詐取したことについては、警察に黙っているわけにはいかんだろうって……」

「やっぱり、あなたは尾形さんを脅したんじゃないですか」

「脅しじゃなく、おれは本気だった」

「あなたはそうやって、尾形さんを追いつめたんですね」

「やつは、五千万円入りのボストンバッグを預けて、そのままどこかへ消えた」

「思ったとおり、あなたは五千万円を尾形さんから取り上げたんだわ」

「アパートに帰れば、女房が待ち構えている。ほかに身を寄せるところはないし、金も大して持っちゃあいない。尾形はむかしの友だちに泣きついて、年末だ正月だっていうのに、そいつのマンションへ転がり込むって始末だ」

「奥さんとあなたと両方から追いつめられて、尾形さんが精神的にメタメタになるのは当たり前です」

「狼とスッポンになりきった尾形の女房は、ついに友人のマンションに亭主がいるってことを嗅ぎつけた」

「奥さんはそのマンションへ、乗り込んでいったんですか」

「あの女に、付ける薬はない。よせばいいのに尾形の女房はマンションの部屋で、ありとあらゆる下品な言葉を並べ立てて、一時間以上も亭主を罵《ののし》ったんだそうだ。その直後に尾形はみんなが見ている前で、バルコニーのフェンスを乗り越えると空中に身を躍らせたらしい」

「何てことを……」

「これで、おれがやつを殺したんじゃないってことは、はっきりしただろうよ」

「いいえ、あなたが殺したのと変わりません。あなたと尾形さんの奥さんが、彼をあの世へ送ったんです」

「あんたもずいぶん、甘ったれた考え方をしているんだな。そもそも最大の原因ってやつは、尾形を殺人計画に引っ張り込んだり、五千万円の報酬を渡したりしたあんたが作ったものだ」

「その責任は、感じています。ですけど、わたしは尾形さんを追いつめたことなんてありません」

「勝手な言い草だな」

「わたし尾形さんに五千万円をプレゼントしたけど、あなたみたいに五千万円を奪ってはいないんです」

「おれに、奪った覚えはない。五千万円がはいっているボストンバッグは、そっくりそのままこの車のトランクルームに入れてある。尾形の代理として、おれはあんたに返しに来たんだ」

「あなたはさっき、尾形さんのしたことをおれは許せないって言いました。あなたには許すとか許せないとか、尾形さんを裁く権利があるんですか」

「ある」

「嘘おっしゃい!」

「それが、あるんだ」

「じゃあ、どういう権利なんです」

「もう一度、新聞の記事を読み直してみるんだな」

サングラスの男は、鼻の先で笑うような声を出した。

「記事のどこですか」

理帆は再び、新聞の社会面に目をやった。

男が黙っているので、理帆は記事を拾い読みした。間もなく理帆は、とんでもないことに気づいた。『尾形久彦』という活字が、見当たらなかったのである。

尾形という姓は一致しているが、名前が違う。尾形久彦ではなくて、尾形久夫となっていた。

自殺した人間の姓名を、警察や新聞社が間違えるはずはない。

どうなっているのだろうかと、理帆の思考は混乱を来たしていた。尾形久彦と尾形久夫《ひさお》——。よく似ている名前だが、同姓にして異人と解釈するほかはない。

彼は初めから、尾形久彦ではなかった。尾形久夫という別人が、尾形久彦と名乗ったにすぎない。尾形久夫が久彦を、装ったということになる。

新聞を畳んだのも、理帆は無意識にやったことだった。狐につままれたとはこのことなのか、理帆はわけのわからない夢を見ているように頭の中が空っぽであった。

「どうだ」

男が訊いた。

「まだ、ピンとこないわ」

理帆は、つぶやくように言った。

「あんたがいまのいままで、尾形久彦だと思い込んでいた男は、完全に別人だっていうことだ」

「そうらしいですね」

「あの男の本名は、尾形久夫だ。だから、まるっきり違った偽名を使ったことにはならない。半分は、本名だ」

「そうだとしても、偽名だってことには変わりないでしょ」

「やつにはむかしから、友だちの名前を使うという妙な癖があった」

「よくない癖ですね」

「ただし、やつは生まれてこの方、あんたには縁もかかわりもない人間だった。やつの両親は、尾形一敏と奈津江じゃなかった。あんたのおやじさんの顔を、尾形久夫は見たこともないだろう」

「そんな彼がなぜ、尾形久彦になりすまそうとしたのかしら」

「やつの告白によると、あんたが花房家の養女になったことは承知していたそうだ。それに、あんたの養父の花房敦夫という名前も、忘れていなかったらしい。あんたが花房家の養女になって富山から消えたとき、やつは噂で花房敦夫という名前を耳にした。花房姓は珍しかったし、敦夫も久夫と同じ夫が付くからって、忘れずにいたそうだ」

「やっぱり、名前にこだわる人なのね」

「去年の十二月初めに、やつは会社の仕事で上京した。やつはこの東京に住んでいるってことで、花房敦夫に花房理帆という名前を思い出した。きっと、退屈だったんだろう。やつは電話帳で、花房姓を調べた。花房敦夫はひとりしかいなかったので、その住所をメモした。翌日やつは、元麻布の花房邸へ出向いていった」

「彼は門の前にたたずんで、花房敦夫とある表札を眺めていたわ」

「丁度そのとき、あんたが門の外へ出て来た。ひと目でやつには、花房理帆だとわかったそうだ。やつは、あんたに興味を持った。あんたと親しくなりたい、大金持ちの令嬢を抱いてみたい、できることなら小遣いぐらいもらいたいって……」

「いやらしい言い方は、やめてください」

「それでやつは咄嗟に、尾形久彦になりすまそうと思いついた」

「彼にはまた、偽名を使う悪い癖が出たんですね」

「やつはむかしから、友だちの名前を悪用した。しかも尾形久夫と尾形久彦は、友だち同士の関係にあった。それでやつには、尾形久彦の名前を悪用するという罪の意識なんて、まるでなかったんだろう」

「あなたは上越新幹線の車内で、わたしにこう言ったのを覚えていますか。尾形のことは、中学のときからよく知っている。親友とまではいかないけど、中学時代は仲のいい友だちだったって……」

胸が波うつほど、理帆は息苦しくなっていた。

「もちろん、忘れちゃいない」

サングラスの男は、チラッと横顔を見せた。

「彼とあなたは、中学時代のクラスメート。親友とまではいかなくても、仲のいい友だちだった。どうして、仲がよかったのか。それは二人のフルネームがよく似ていることから、何となく親しみを感じ合ったためじゃないんですか」

心臓に刺されたような痛みが湧いて、理帆は思わず目をつぶっていた。

「やつは中学生のときからトッポイ男で、おれも何度となく悪いことに利用された。それでいて、やつはおれのことを恐れていた。そういう二面性が何となく滑稽で、おれはやつのことを憎めなかった。しかし、尾形久彦と名乗ってあんたに接近したことだけは、どうにも許せない」

言葉に激しさがあっても、男の口調はどこか寂しげだった。

「あなたには彼を、許すか許さないか裁く権利がある。それはあなたこそが、尾形久彦さんだからなんでしょ」

理帆の声は震えを帯びていて、そのうえ途中でかすれることになった。

サングラスの男は、前方を見据えている。無言であり、否定はしなかった。そうなると、肯定の沈黙である。理帆は胸を押さえて、深く息を吸い込んだ。

「運転免許証を、見せてください」

理帆は、手を差し出した。

やや間を置いて、男は運転免許証を理帆の手に触れさせた。理帆のほうを見ようとしないで、男は免許証をよこしたのであった。ひったくるように受け取って、理帆は免許証を開いた。

免許証の写真の顔は、いま目の前にいる男に間違いなかった。写真はサングラスをかけていないが、誰にでも同一人と知れるはずである。

坊主頭のように髪が短いし、顔の傷跡の一部が写真にも認められる。免許証の氏名は、尾形久彦となっていた。これで、理帆の推定が正しかったことが、完全に証明されたのであった。

理帆がこれまで尾形久彦と思い込んでいた男が、実は尾形久夫というニセモノとわかったときから、サングラスの男の正体が見えて来たのだ。サングラスの男が本物の尾形久彦であれば、これまでの彼の奇怪な行動も納得がいく。

ほかには、考えられない。サングラスの男が本物の尾形久彦と、理帆は推断したのである。

果たして結果は、サングラスの男すなわち尾形久彦ということになった。

「あなたが、尾形久彦さん」

免許証を返しながら、理帆はそう言葉をこぼした。

何も、驚くことではなかった。偽の尾形久彦と、肉体関係まで持った。いまさら本物の尾形久彦が出現したからといって、愕然とする理帆ではないだろう。

理帆は、ぼんやりとしていた。あわてふためきはしないが、理帆が受けた衝撃はめまいに襲われるほど激しかったのである。

4

理帆の全身が、弛緩していた。力ではなく、気が抜けたようだった。理帆は、ぐったりしたような心地でいる。何もかも、他人事のように思えてくる。

ニセモノを尾形久彦と信じて好意を抱き、進んで処女を与えた。殺人事件の加害者の息子と被害者の娘という取り合わせは、最高だと有頂天になった。

両者が共犯ということであれば完全犯罪も不可能ではないと、阿佐見涼子殺しの計画を具体化した。詐取されるとは知らずに、報酬として五千万円を渡した。

そうしたことを振り返ると、理帆は自分が情けなくなっている。ニセモノをひたすら信じた馬鹿さ加減が、理帆の自己嫌悪を誘った。すべてが面倒臭くなり、虚脱感だけが残る。

「伊皿子へ向かう」

尾形久彦は、車を発進させた。

理帆は、黙っている。こうしたいという意思も意欲も働かないし、自分が自分ではなくなっていた。どうでもいい、どうにでもなれ、と理帆は思う。

芝から、高輪へと車は走る。理帆は窓の外に、目をやろうともしなかった。三田通りに、車はいった。時間がかかるのを承知のうえ、尾形久彦はそうしたのだろう。急ぐ必要が、ないということなのだ。

「この際あんたには、ほかのことの真相も聞かせておこうか」

尾形久彦は、低速で車を走らせている。

「ほかにもまだ、真相なんてものがあるんですか」

理帆の声は、弱々しかった。

「たとえば、尾形一敏が有坂尚彦を殺した事件の真相だ」

尾形は言った。

「何か、裏があるのかしら」

気を取り直そうと、理帆は努力していた。

「あんたは、あの殺人の動機についても、ただの喧嘩がエスカレートしたんだって聞かされているんじゃないのか」

尾形は、首をすくめた。

「ええ、喧嘩だったとしか聞かされていません」

理帆は、上体を起こした。

「そんな単純な理由で、人を殺すような尾形一敏じゃない」

それが当たり前だが、尾形は早くも父親を弁護していた。

「まったく違った真相が、秘められているっていうんですか」

理帆は、興味をそそられていた。

「はっきり、断わっておこう。おれは人殺しの子だなんて、劣等意識はまったくない。おれの父親があんたのおやじさんを殺したからって、おれはあんたに対して負い目も引け目も感じていない」

「もう、むかしのことですもの」

「そうじゃない。殺されるような原因を作ったのは、あんたのおやじさんのほうだからだ。殺人を正当化することはできないが、非はあんたのおやじさんにあった」

「有坂が、何か悪いことをしたんですか」

「あんたのおやじさんは、許されないことをしたんだ」

「わたしの父親という言い方は、やめてくれませんか。わたしの父は、花房敦夫なんですから……」

「だったら、有坂って言おう。有坂は殺されても仕方がないようなことを、やってしまったんだ。つまり有坂の死は、自業自得ということになる」

「殺されて当然って、有坂はいったい何をしたんです」

「有坂は人妻に言い寄って、力ずくでモノにしたのさ」

「まさか……」

「事実だ」

「信じられません」

「あんたは、尾形久夫にも騙された。あんたには、人を見る目がない。そんなあんたがまだ子どもだったんだから、有坂の人間としての中身なんて見抜けるはずはない」

「でも、有坂にはプライドがありました」

「自分に都合のいいときだけのプライドで、本性をむき出しにした有坂には誇りも自尊心もなかった」

「有坂がわがままだったことは、何となくわかっていましたけど……」

「有坂は、悪い意味でお坊っちゃんだった。有坂家はむかしから資産家だった。富山の旧家だの名家だのと甘い言葉の中で育ったので、いわば殿さまみたいな気分でいる一面を持っていた」

「そう言えないことも、ありませんね」

「自分が望めば、どんなことでも何とかなる。太陽は、自分のためにある。欲しいものは、どんなことをしてでも手に入れたがる。そういう有坂の悪い性格が、あるとき暴走したんだな」

「それが、人妻に言い寄ったってことなんですね」

「そして、犯した」

「証人が、いるんですか」

「三人いる。そのうちのひとりは、おれだけどね」

「じゃあ、人妻っていうのは、あなたのお母さま！」

理帆は思わず、声を張り上げていた。

「そういうことだ」

ルームミラーで見る尾形は、表情のない顔でいる。

「そんな……！」

理帆は、絶句した。

「まず最初の証人は、当時の富山市愛宕町で商売をしていた酒屋の主人だ」

尾形は、説明を始めた。

酒屋の主人は注文のあった品物を届けるために、五日に一度ぐらいの割りで尾形家に出入りしていた。もちろん勝手口で尾形一敏の妻の奈津江と言葉を交わし、品物を置いて帰るだけだった。

ある日、酒屋の主人は勝手口で声をかけようとして、あわてて唇を結ぶことになった。キッチンとその奥の居間には、人影が見当たらない。

だが、声が聞こえて来たのだ。

「愛しているんだ、奥さん。あなたを、愛してしまった」

と、かなり刺激的な言葉だったので、酒屋の主人は声を発するのを遠慮したのだという。その代わり酒屋の主人は、好奇心に駆られて聞き耳を立てた。

「社長さん、冗談はやめてください」

奈津江の口調は、険しいというより冷ややかであった。

「冗談なんかじゃない。真面目な話だし、ぼくは真剣だ」

「でしたら、そういう馬鹿げた話に耳は貸せません」

「奈津江さん、ぼくはあなたを妻に迎えたい」

「何をおっしゃるんです、わたしには夫がおります」

「尾形さんには悪いけど、離婚してもらいたい」

「えっ……！」

「ぼくは独身だから、いつでも結婚できるんです」

「社長さんったら、頭がどうかしちゃったんでしょう」

「あなたは、すごく魅力的だ。ぼくは、奈津江さんに恋をしている。朝から晩まで、奈津江さんのことばかり思っています。このままでいたら、気が変になりそうだ。ぼくは何としてでも、奈津江さんと結婚したい。あなたが、どうしても欲しいんだ」

「社長さんには、分別というものがないんですか」

「一緒に、旅行しよう」

「ご自分の年を、お考えください。中学生や高校生と、違うんですよ」

「東京でも京都でもいいから、近いうちに一緒に旅行しよう」

「そんなこと、できっこないでしょ」

「奈津江さん」

「何をするんですか！」

「もう、我慢できない」

「いけないことです、やめてください！」

「愛しているんだ」

「あっ、駄目！」

「奈津江さん！」

「やめて！」

双方ともに、切羽詰まった声になっている。酒屋の主人には、切迫した状況が容易に想像できた。このままにはしておけないと、奈津江を危難から救うことを考える。

「奥さん、三河屋でございます！」

酒屋の主人は、怒鳴るように言った。

とたんに、男女の声がぴたりとやんだ。すぐに奈津江が、居間から飛び出して来た。憤激したように目を吊り上げていたし、奈津江の顔は青白かった。

「どうも、ご苦労さま」

奈津江は笑うこともなく、伏し目がちでいた。

「お客さんで……」

酒屋の主人は、居間へ視線を転じた。

「いま、帰っていただきました」

奈津江は、何度もうなずいた。

酒屋の主人が表通りへ出ると、前方に有坂尚彦の後ろ姿があった。有坂屋酒造の社長とは、酒屋の主人も面識がある。さっきも聞き覚えのある声だと思ったが、奈津江に求愛していた男は有坂社長だったのだ。

有坂は、車を運転して去っていった。酒屋の主人は事件後、事情聴取に応じてこの事実を述べている。有坂社長も人妻に不倫を迫るとは大したものだと、酒屋の主人は感心していたそうである。

次の証人は、尾形久彦自身であった。尾形が目撃したのは、わが家を訪れた有坂社長の姿だった。有坂社長を見かけた回数は、五、六回と記憶している。

酒屋の主人が有坂社長の口説《くど》き文句を耳にした数日後から、半月ほどのあいだに五、六回も彼は尾形宅に押しかけて来たのだ。尾形久彦の知らない訪問も数のうちに入れれば、有坂社長は十回ほど奈津江に会いに来たものと推定される。

しかし、尾形久彦少年が気づいた五、六回の訪問に限り、有坂社長は一歩も家の中にはいることを許されていない。いずれも、玄関払いであった。

奈津江が有坂を、家に中へ入れなかったのだ。玄関での押し問答が長引きそうになると、奈津江は息子の久彦少年を呼んだ。それで有坂は、逃げるように引き揚げる。

奈津江は徹底して、有坂を拒否したのであった。久彦少年は何度となく奈津江が、けんもほろろに有坂を追い返すのを見ている。つまり尾形久彦は、有坂がいかに常軌を逸して奈津江に迫っていたかを、承知している証人なのである。

第三の証人は玉島夕子、富山駅の近くにある高級料亭の女将《おかみ》である。

その料亭での出来事については事件後、奈津江が次のように警察で述べている。

有坂の強引な求愛が始まって、一カ月がすぎようとしていた。奈津江は生きた心地のしない毎日を送っており、有坂が一日も早く諦めてくれることを祈っていた。

そんなところに、有坂から電話がかかった。有坂は元気がなく、声も弱々しい。有坂は今日、会いたいという。午後四時に待っていると、有坂は高級料亭の屋号を告げた。

「そんなところへ、誰が行くもんですか」

奈津江は、腹を立てていた。

「そこまで、冷たくしなさんな。これが、最後なんだから……」

有坂は、溜め息をついた。

「最後って、どういう意味です」

「あなたのことが忘れられないからって、いつまでも悩んでいるわけにはいきません。あなたのことを、忘れなければならない。それでせめてもう一度だけ会って食事でもして、気持ちよく身を引こうとやっとのことで決心が固まったんです」

「じゃあ、今後いっさい……」

「すっぱりと、諦めます。二度とあなたの前には、現われません」

「それ、確かなんでしょうね」

「天地神明に、誓いますよ。あなたのことを忘れるために、しばらく海外で過ごすつもりです。そういうことで、あなたの顔を見ておきたいんです。最後の頼みぐらい、聞いてくださいよ」

哀願するように、有坂は喉から声を絞り出した。

奈津江は、その言葉を信じた。食事を付き合えば、有坂が目の前から消える。このチャンスを逃してはならないという焦りも、奈津江にはあったのだ。

それに午後四時ならば、まだ昼間だという甘さも奈津江に作用していた。奈津江は、イエスと答えた。誘いに応じた奈津江は、午後四時に高級料亭を訪れた。

これから先は、玉島夕子の証言となる。

玉島夕子は有坂から、ひと通り料理を運んだあとは密談になるので、部屋に近づくなと指示されていた。座敷は渡り廊下の奥で、別棟のように孤立した部屋だった。十畳の座敷に、六畳の次の間が付いている。

午後五時には、料理の三分の二を出し終えた。玉島夕子は密談の時間だと思い、部屋に近づかないように従業員にも命じた。午後五時半になると、次の料理を運ばなければならない。

玉島夕子は、様子を見に出向いた。それが、とんだ偵察になったのだった。渡り廊下を越えて板戸をあけたところで、玉島夕子の耳に女の悲鳴が飛び込んで来たのである。

玉島夕子は、次の間に忍び込んだ。

「いや、やめて！」

「もう、間に合わない」

「いや、誰か助けて！」

「ぼくのものだ」

「あっ！　駄目、やめて！」

「もうすぐ、ぼくのものになる」

「お願い、堪忍して！」

「ああ、奈津江」

「駄目、いけない、やめて！　駄目よ、ああっ！」

大声で叫んだあと、女は泣き出していた。

玉島夕子は、襖《ふすま》の隙間に目を押しつけた。男と女は、床の間の前で重なり合っていた。料理が並んでいる座卓が離れた位置なので、玉島夕子の視界を遮るものはない。

有坂と奈津江の肉体は、すでに結合した状態にあった。女はのけぞって泣いているが、男のほうは夢中で腰を動かしていた。女のワンピースの裾が、下半身がむき出しになるほどまくり上げられている。

男はワイシャツを着ているだけで、半裸の姿であった。近くに男のズボンとブリーフ、女のパンティーストッキングとショーツが散らばっていた。

これは強姦も変わりないと、玉島夕子は逃げ出した。有坂は、一時間後に料亭を出ていった。更に三十分後、奈津江がタクシーを呼んだ。

帰宅した奈津江は、魂が抜けたような人間になっていた。そんな奈津江から苦労して、夫の尾形一敏は事情を聞き出した。奈津江は、何事も隠さなかった。

その夜遅くなって、尾形一敏は有坂を電話で呼び出した。奈津江が自殺したという嘘に乗せられて、有坂は尾形家へ駆けつけた。尾形一敏は奈津江が死んだ場所に案内すると称して、有坂を近くのビルの建築現場へ連れ込んだ。

そこで尾形一敏は有坂の頭に、コンクリートブロックによる一撃を浴びせる。有坂は、意識を失う。尾形一敏は、有坂のネクタイを抜き取る。そのネクタイで尾形一敏は、有坂を絞殺した。

尾形一敏は翌日に逮捕されたが取調べの最中に、用意してあった青酸化合物入りのカプセルを飲み、警察のトイレで自殺を遂げる。それから半年後に世間の目と噂に耐えきれず、奈津江は久彦を連れて高岡市の親戚に身を寄せる。

だが、そこもまた安住の地とは、なり得なかった。奈津江は日々、精神的に追いつめられていく。有坂に犯されたこと、そのために夫が人を殺して自殺したこと。この二つの事実を奈津江はどうしても、気持ちのうえで清算できなかったのである。

5

尾形久彦が、ブレーキを踏んだ。ゆっくりと、車は停まった。伊皿子坂から泉岳寺《せんがくじ》寄りに、百メートルばかりはいったところだった。道路の右側に、古ぼけたコンクリートの塀が続いている。

庭の樹木は、かなりの年輪を経ていた。その分、年代ものの邸宅になっているのだ。門の幅は十分だが、塗装もはげ落ちた木造である。表札だけが新しく、阿佐見涼子とはっきり読める。

「奈津江は夫の一周忌に、あとを追うことを決意した。ただし、おふくろひとりで死ぬんじゃなかった。おれも道連れに、無理心中ってわけさ。このことに関して、久夫のやつも何か言っただろう」

尾形久彦は、サングラスをはずした。

「ええ。おふくろは青酸化合物入りのジュースを、おれに無理やり飲ませようとした。でも、おれのほうが体力が勝っていたんで、おふくろを突き飛ばして逃げた。おふくろはやむなく自分だけジュースを飲んで、おれの目の前で悶死したって……」

理帆はすっかり萎縮していて、声までが弱々しく陰気になっていた。

「やつは、作り話が好きだった。しかし、わが子と無理心中をする母親っていうのは、そんな甘っちょろいもんじゃない。奈津江は出刃包丁で、おれに斬りつけ刺し殺そうとしたよ。おれは、必死になって逃げた。奈津江は出刃包丁で何度も、自分の喉を突き刺して死んだのさ」

尾形久彦は、左の横顔を見せつけるようにした。

「出刃包丁……」

尾形の話に圧倒されながら、理帆は彼の顔の傷を見守った。

「これが、そのときの名残りだ。母親が包丁で、わが子に斬りつけた傷跡だよ」

尾形は横顔で、微《かす》かに笑った。

「お母さまが亡くなったあと、あなたはどうなさったんですか」

理帆は、身を乗り出した。

「おれは高岡市にもいられなくなって、富山市へ逆戻り。今度は、おやじの親類に引き取られた」

尾形は、無表情に戻っていた。

富山市の中学校に、尾形は再編入となった。半年の空白があったが、クラスメートは以前と変わらない顔触れである。その中には、尾形久夫もいた。

尾形久彦は高校を卒業して、しばらくぶらぶらしているうちにある事業家と知り合った。その事業家は北陸地方で、二十店からのパチンコ店を経営していた。

尾形は、パチンコ店の経営者にひどく気に入られた。パチンコ店の経営術を初歩から伝授されて、尾形は五年間の修行の時代を過ごす。

そして一昨年から尾形は、富山県内の四店の経営を任せられるようになる。支配人という地位を、与えられていた。四店とも売り上げは伸びているし、いまや尾形はオーナーの右腕といわれていた。

「しかし、おれの人生は灰色だし、決してしあわせとは言えないだろう。おやじも、人生を狂わされた。おふくろは、もっと不幸だった。いったいどこのどいつが、おれたち親子三人を地獄へ突き落としやがったのか」

尾形は冷静で、少しも興奮していなかった。

「有坂です」

理帆は、肩を落とした。

「そう。有坂の罪は重いし、やつはハイクラスの悪人だ」

「その点は、よくわかりました」

「有坂は、殺されて当然な人間だ。有坂は、被害者じゃない。やつは、最大の加害者だったんだ」

「そうです」

「有坂という人間は、心も脳味噌も腐っていたのさ」

「そのとおりだと思います」

「おれはあんたに、申し訳ないなんて思ったことは一度もない。いまでも、有坂を憎悪しているからね。もし有坂が生きていたら、今度はおれがやつを殺すだろう」

「わたしのほうが、お詫びすべきなんですものね。わたしの心のどこかにやはり、被害者は王さまみたいな思いがあったんでしょうね。だから加害者の息子なら当たり前って、平気で殺人に利用するなんてことを考えたんじゃないでしょうか」

「久夫はニセモノだし、やつもあんたを利用しようとしたんだから仕方がない。だけど、おれだったらどんな条件を示されても、あんたのためには動かない」

「当然です」

「まあ、いずれにしても花房理帆には、何の責任もない。おれも、あんたを憎んだりはしていない。あんたについては、むしろ同情しているよ」

「同情……？」

「あんたは半分、有坂みたいな父親の血を受け継いでいる。あとの半分の血は、友井夏代という母親失格の淫乱女のものだ。あんたの実の父親も母親も、人間としてのレベルが低すぎる。同情するよ」

尾形久彦は、運転席のドアを開いた。

「そういう両親のあいだに生まれたからか、わたしも人殺しを企んでいるんですものね」

理帆は、敗者の心境を嚙みしめていた。

自分は、あまりにも汚れている。阿佐見涼子を殺害する計画を立てたときも、尾形久夫を共犯に引っ張り込もうとしたときも、理帆は平然としていた。

それは罪悪感というものが、欠如しているからだろう。成人になっても罪の意識がないのは、根っからの犯罪者ということである。自分には良心がないのだと、みずからを嫌悪せずにはいられない。

尾形は車を降りて、阿佐見邸の門に近づいていく。尾形は、何をするつもりなのか。まさか、インターホンのボタンを押したりはしないだろう。いや、門の中へはいる気でいるのかもしれない。

理帆は落ち着けなくなって、車の外へ出ることにした。尾形は門の前に、突っ立ったままでいる。門柱の表札を、尾形は凝視しているようだった。

「どうするんですか」

理帆は、尾形と肩を並べた。

「それは、こっちの質問だ」

尾形は、時計を目に近づけた。

「えっ……」

またもや動悸が激しくなるのを、理帆は感じていた。

「ここまで、来ているんだ。この人を殺すのか殺さないのか、今後どうするのかをはっきりさせてもらいたい」

尾形は、表札の阿佐見涼子という文字を指さした。

「それは……」

理帆は、即答できなかった。

「もう、時間がない」

尾形は、理帆を見おろした。

「でも……」

理帆は阿佐見涼子への殺意が鮮烈さを失い、霧に包まれたようにぼやけているのに気づいていた。

「第三の真実というのを、教えようか」

尾形は、吹き抜ける風に目を細めた。

「まだほかに、わたしの知らない真実があるんですか」

理帆も風の冷たさに、コートの襟を立てていた。

「おれは阿佐見涼子という女に、興味を持った」

「どうしてですか」

「久夫の告白の中に、阿佐見涼子殺しの動機というのがあった。その動機が、どうにも理解できなかった。久夫も常識では考えられない異常な動機と言っていたけど、まさにそのとおりだ」

「そうでしょうね」

「とても、殺人の動機にはならない。あんたが阿佐見涼子を殺したら、まず動機の点で捜査は壁にぶつかるだろうな」

「なぜ彼女を殺したいのか、理屈では説明できません」

「理屈抜きの嫌悪感は誰にでもあるんだけど、それだけで人を殺すことはあり得ない。しかし、あんたの嫌悪感は、異常なほど激しい。いっさいの妥協を拒み、とにかく阿佐見涼子を抹殺したいと攻撃的だ」

「家に出入りさせたくない、父に接近させたくない、あの女の顔も見たくない、というだけではすまなくなったんです。あの女がこの世に存在していること自体が、わたしには許せなくなりました」

「この世を少しでも清潔にするためには、阿佐見涼子を殺さなければならない。こうなると、確信犯だな。だけど阿佐見涼子と似たような女は、この世にいくらでもいるだろう。それなのに、あんたは阿佐見涼子だけに、異常な嫌悪感と殺意を抱く。いったい、なぜなんだろう。何かそこに、あんたにも自覚や意識のない本能的なものが、働いているんではないのか。そんなふうに、おれは興味を持ったんだ」

「それで、阿佐見涼子のことを調べたんですね」

「阿佐見涼子の身元、経歴、現在の生活状況と何から何まで、徹底的に調べさせた。その調査報告書を、おれは四日前に受け取っている」

「そこに意外なことでも、隠されていたっていうんですか」

「あまりの意外さに、おれはしばし茫然となった」

「どんなことでしょう」

「阿佐見大造氏と花房敦夫氏は、大学のときからの親友同士だった」

「知っています」

「阿佐見大造氏は、五年前に病気で亡くなっている。子どもがいなかったので、二軒の画廊をはじめ大造氏のすべての財産は、涼子ひとりが相続した」

「ええ」

「阿佐見大造氏と涼子が結婚したのは、いまから十四年前。大造氏が四十二歳、涼子が三十三歳のときで、二人とも二度目の結婚だった」

「そこまでは知りません」

「当時の大造氏は、名古屋にも画廊を持っていた。その画廊に、涼子も勤めるようになる。そういう縁で二人は結ばれるんだが、関係者の話だと涼子が大造氏を誘惑して、強引に肉体関係を迫ったんだそうだ」

「むかしから、淫乱な女だったんですね」

「結婚したときに涼子は、これまでの名前は縁起が悪いという理由で改名している。しかし、正式に改名を届け出たのは、大造氏の死亡の直前だった。したがって、それまでの涼子は戸籍上も、涼子という名前にはなっていない」

「変わった女でもあるんだわ」

「いずれにしても、結婚したときから涼子と呼ばれ、涼子で通るようになっていたんだろう。ただし五年前までの涼子は通称、呼び名にすぎなかったんだ」

「涼子の前の名前は……？」

「夏代だ」

「夏代……！」

「聞き覚えがあるだろう。涼子の旧姓は、友井だよ。つまり阿佐見涼子になる前の彼女は、友井夏代だったというわけさ」

「嘘！」

理帆は叫んだ。

「戸籍を見れば、一目瞭然だ。阿佐見涼子になるまでに一度、友井夏代は結婚している。初婚の相手は、富山市の有坂尚彦。理帆という女の子を出産、一年とちょっとで離婚している」

尾形の言葉は、途切れることがなかった。

「嘘よ、そんなの嘘だわ」

理帆の声は、小さくなっていた。

「名古屋市の本籍地だって、ぴたり一致する。阿佐見涼子は友井夏代だった時代に、金沢、京都、名古屋でクラブのホステスをしていたという確証もある。友井夏代は肝臓を悪くしたためにホステス業から足を洗い、絵の勉強をしたいと名古屋の画廊に就職したんだと、地元の関係者が何人も認めている」

「そんな馬鹿な……」

「決して、馬鹿なことじゃない。報告書を読んで、おれはこれだと思った。あんたが阿佐見涼子だけに感じる強烈な生理的嫌悪感、殺してやりたいほどの不快感の発生源だ。あんたの血が涼子から、憎むべき実母と共通するものを、嗅ぎ取るためなんじゃないのか。あんたは本能的に、涼子と実母の夏代とをダブらせていたんだ」

「そんなこと、思ってもみたことありませんけど……」

「意識しなくても、血とか本能とかは働くだろう。あんたの血と本能が、友井夏代への復讐を無意識のうちに求めていた。それがそのまま、涼子への殺意になった」

「そうかもしれないけど、阿佐見涼子と友井夏代が同一人物だということは、否定のしようがない事実なんだ」

「残酷すぎます」

「阿佐見涼子も、わたしが娘だということを知っているんでしょうか」

「間垣愁介という天才画家の作品は、富山の有坂家にあったものだから……」

「いいえ、あの絵は有坂家の土蔵の中にあったもので、わたしが物心ついたころに有坂が初めて持ち出して来たんです。だから友井夏代は、一度もあの絵を見ていません」

「だったら、あんたが富山市に住んでいた有坂姓の実父は殺されたって喋ったとき、涼子はそれと気づいてハッとなったんだろう。理帆という名前も同じだし、自分が生んだ実の娘だって涼子には納得がいったはずだ」

「でも、涼子はその後もいっさい、そんなふうな様子を見せていません」

「いまさらどうしようもないと思っただろうし、だいたい母娘の対面なんてことに関心もないんじゃないのか。その点を割り切って、涼子は知らん顔を決め込んでいるのさ」

「頭が割れそうで、心臓が粉々になりそうで、呼吸困難になりそうで……」

膝から崩れ落ちて、理帆は地面にすわり込んだ。

「どんな人間だろうと、生みの親とわかったからには、とても殺せないんじゃないのか」

尾形は、表情を変えなかった。

「まるで、地獄だわ」

声で泣かずに、理帆は涙を流した。

「親の因果が子に報いというのは、人間全部に言えることだ。そう思って、諦めるしかない。有坂が尚彦、おれが久彦、おれのおふくろが奈津江、あんたのおふくろが夏代。これだって、何かの因縁さ」

尾形久彦の暗い眼差しが、彼の顔を一段と虚無的にしていた。

寒風の中で、理帆は泣きながら笑っていた。敗北感を味わう一方で、何となく滑稽になってくるのである。人生にはこんなこともあるのだと、すべてが馬鹿らしく感じられる。

「あの五千万円で、豪遊しましょうか」

理帆は泣き笑いの顔で、尾形を振り仰いだ。

一九九五年五月　廣済堂出版刊

解説

大野由美子《おおのゆみこ》
（文芸評論家）

笹沢左保は女性の心理を描くことに巧みと言われている。男の側から見た女の打算や保身、感情の変化などをしばしば冷酷なまでに白日のもとに晒《さら》し、それがサスペンスの展開と相まって抜群の面白さをかもしだすのだ。

たとえば女が女を憎むというテーマは『骨牌《カルタ》の城』や『女の決闘』（ともに光文社文庫刊）などでは嫁と姑との闘いという構図で描かれる。『骨牌の城』では嫁の姑への嫌がらせのすさまじさが克明に綴られ、それに応じて姑は思い切った報復を試みる。『女の決闘』ではタイトル通り女二人の闘いは決闘の様相を帯び、相手の命を奪うか奪わないかといったところまでエスカレートする。夫であり息子でもある男にとっては、なぜ女二人が冷静に対処できないのか不思議でならないのだが、女たちは好んで戦闘モードに入ってゆく。

『白昼の囚人』では一流企業のサラリーマンが妻に事業主として独立したいと言うものの大反対される場面がリアルだ。

女は、収入さえ多ければいい、というものではないらしい。長い将来の安定が、保証されなければ承知できないのだ。

それに職業の種類も重視する。月収が百万円になろうとも、大道でもの売りをするといった職業は嫌うのである。やはり、一流企業とされている有名な大会社の社員であることが、最低の条件なのだ。世間体や見栄は、女にとって重要なことだった。

『白昼の囚人』の初出は一九七〇年から翌七一年にかけてであり、三〇年以上も昔のことだが、今日の女が男に望む条件は、この頃と比べてどれだけ変わっただろうか。自立した女が増えたとはいえ、夫に高収入と体裁のいい職業を望むのは妻の常ではないだろうか。

またエッセイ集『恋をする女たちへ』では処女でなくなった女が相手の男に抱く愛着について語られていて興味深いが、一般に女は処女を与えた男に心身の情を覚えると共に、キズモノにされたという意味で執着をもつようになると語っている。もっとも一人の男に頼らなくていい経済力をもつ女ならキズモノ意識はだいぶ軽減されるだろう。たとえば初期の傑作『霧に溶ける』（光文社文庫刊）でミス・コンテストの最終予選に残った一人は交際している男に身体を許さないが、それは処女性に高い交換価値を見出していたからではなく、相手の男に情が移ってしまうことを恐れたからにすぎない。これから出世の階段を上ろうとする女は、相手に情が移ってしまうことを何より恐れたのである。

笹沢作品にあっては女は多くの場合、打算的であり、男に愛着（愛情ではない）を抱き、感情をセーブできない生き物となっている。しかも『霧の女』の中で、女というものは「亡くな

った り別れたりした過去の男性よりも、現在一緒の男性のほうがよくて仕方がない」と女自身に語らせているように、巡り合った男を一時永遠の男と思っても、次の男が現れるとその男が新たな永遠の男となってしまい、しかも自分自身がそれを矛盾とも何とも感じていないことが多い。洞察力に満ちたある男が看破したように、男は女にとって初めての男となりたがり、女は男にとって最後の女になりたがるのだ。男のロマンティックな面と女の現実重視の面をこれほど的確に表した言葉はないだろう。

作者はそうした女を軽蔑しているわけでもなく、馬鹿にしているわけでもない。ただ女とはそうした傾向が多々あるということを小説を通して描いているにすぎない。そしてそれがリアルだからこそ読者は笹沢作品を堪能することができるのだ。『殺したい女』もまた作者の女性観のエッセンスがいたるところに散りばめられたサスペンスに仕上がっている。

二十一歳の女子大生・花房理帆《はなぶさりほ》は十歳の時に富山の造り酒屋をしていた父が殺されるという悲劇に見舞われるが、縁あって東京の資産家・花房敦夫《あつお》と比呂子《ひろこ》の養女となる。実母は理帆が生まれて一年足らずで父と離婚し、その後音信不通だ。

花房家で何不自由なくすくすくと育っている理帆だが、ひとつだけ不愉快でたまらないことがある。それは養父の死んだ友人の妻・阿佐見涼子《あさみりようこ》の存在だ。涼子は四十七歳、夫の死後二軒の画廊を引き継ぎ、業界ではやり手として名を馳せている。だがこの女は下品で厚化粧のうえ醜く太っている。何より我慢ができないのは男性関係にルーズなことで、若い男二人を愛人にもち愛欲の日々を過ごしている。そして不潔さを漂わせた身でしゃあしゃあと花房家に出入りしているのだ。ついには理帆の部屋にまで訪れるようになり、理帆の実父が残した絵画に目をつけ、ぜひとも譲ってくれとしつこく迫るに至る。

涼子への嫌悪と憎悪を日ごとにつのらせてゆく理帆の前に、ある日、実父を殺した男の息子・尾形久彦《おがたひさひこ》と名乗る若い男が現れる。そしてその後、涼子が養父にまで好色の触手を伸ばしていることを知った理帆はこの忌まわしい女の殺害を決意する。涼子に絵を売り、その代金五千万円で尾形を共犯者に引きずり込むことを考えるのだ。被害者の娘と加害者の息子が結びつくことなどありえないだろうという世間の常識の裏をかこうと図り、新潟のホテルで尾形と合流した上で彼に殺人計画を打ち明け、五千万円とともに処女を与えた理帆だが、やがて思わぬ展開と運命のいたずらに驚愕《きょうがく》することとなる……。

この作品は一九九二年八月号より翌年の三月号まで「華麗なる凶器」のタイトルで『小説クラブ』に掲載された後、一九九五年五月に廣済堂出版より『殺したい女』と改題されて刊行された。

何よりも理帆の造型に作者の女性観がみごとに投影されていることが注目される。

まず理帆は憎しみという感情がエスカレートするのを抑えることができない。実はこれは故ないことではないと後に分かるのだが、新潟への一泊旅行を養父母に咎められた彼女がすらすらと巧みに嘘をつけることも、彼女の過去にまつわる真相への布石となっている。

理帆はまた自分の実父の死についても原因を探ろうなどとは思わない。〝自分は何者なのか〟という自分捜しはしばしば小説のテーマとなり、捜していた真の自分が実はとんでもない姿だったというストーリーは現在でも多いが、自分捜しにこだわるのは多くが男たちだ。理帆においても当てはまらない。多くの女にとっては現在と将来の安定が大事であり、理帆もまた例外ではないのだ。恵まれた生活を送っている理帆にとっては「実父の死は無に等しい」し「悲しい思い出として、理帆の記憶に残ってもいな」い。さらに「過去は捨てたり、忘れたりするものじゃないわ。過去は消滅して、無になってしまうのよ」とつぶやく。もし彼女が過去に関心を抱くとしたらそれは現在が惨めなケースであり、過去を探ることで今よりマシな生活への可能性を見出すか、あるいは慰めを見つける場合だろう。女とはかくも合理的なものなのだ。涼子もまた自分の過去などまったく頓着しない人物であるとされている。

その一方で理帆は涼子を嫌悪する理由について〝嫌いなものは嫌い〟としか言いようがない。嫌悪する理由について深く考えることもしないのである。

さらに涼子を殺害する計画を自分ひとりで行おうとせず、他人を巻き込もうとする。相手に処女を与えることで共犯関係を確実なものにしようとするのだ。『霧の女』でも遺産を異母姉妹に渡すまいとする女子大生が殺害計画を立て、その協力者の男に処女を与える場面があるが、これもまた男と緊密な関係を結ぶためである。二人の女はそれぞれ生活の不安はないから処女を与えたからといってキズモノにされたという被害者意識を抱く必要はないが、理帆はしだいに尾形に情を感じるようになってゆく。一方の尾形は軽率な男で、殺人計画を話しているというのにホテルのダイニングで理帆と二人で悠々と豪華な食事をとり、さらにバーにまでいくという無防備さを露呈させる。尾形のいいかげんさにいらいらさせられる読者も多いだろうが、理帆は愚かにも尾形に望みをかけ続ける。気持が彼を追ってしまうのだ。

さて笹沢左保は多くの作品を通して、平凡な日常を送っている人間が、ふとしたきっかけでそこから外れてゆく恐さを描いてきた。理帆もまた自分の感情をセーブできず、平凡で幸福な日常から足を踏み外そうとする。

女性読者の多くは理帆を愚かだと切り捨て、自分は違うと言うだろうか。だとしたら、そう言うのが女なのさという作者の呟きが聞こえてきそうである。たとえ殺人の実行には至らなくても、感情を抑え切れないことから思わぬ陥穽に陥ってしまうことはありえないことではないのだ。

女たちがもっと冷静で論理的になれば、男たちは気苦労が減るだろうし、女も楽になるだろうが、そうなると男女の仲は希薄なものとならざるをえないだろう。

男と女の関わりを考える上でも『殺したい女』はさまざまな示唆を与えてくれる。

光文社文庫

長編推理小説
殺《ころ》したい女《おんな》
著者　笹《ささ》沢《ざわ》左《さ》保《ほ》

2002年2月20日　初版1刷発行

発行者　濱井　武
印刷　萩原印刷
製本　明泉堂製本

発行所　株式会社 光文社
〒112-8011　東京都文京区音羽1-16-6
電話　(03)5395-8149　編集部
8113　販売部
8125　業務部
振替　00160-3-115347

落丁本・乱丁本は業務部にご連絡くだされば、お取替えいたします。
ISBN4-334-73279-8　Printed in Japan

お願い　光文社文庫をお読みになって、いかがでございましたか。「読後の感想」を編集部あてに、ぜひお送りください。

このほか光文社文庫では、どんな本をお読みになりましたか。これから、どういう本をご希望ですか。どの本も、誤植がないようつとめていますが、もしお気づきの点がございましたら、お教えください。ご職業、ご年齢などもお書きそえいただければ幸いです。

光文社文庫編集部